上班記

上班記

何兆武 口述
文靖 執筆

OXFORD
UNIVERSITY PRESS

Oxford University Press is a department of the University of Oxford.
It furthers the University's objective of excellence in research, scholarship,
and education by publishing worldwide. Oxford is a registered trade mark of
Oxford University Press in the UK and in certain other countries

Published in Hong Kong by
Oxford University Press (China) Limited
39th Floor, One Kowloon, 1 Wang Yuen Street, Kowloon Bay,
Hong Kong

First Edition published in 2022

上班記

何兆武口述

文靖執筆

2 4 6 8 10 11 9 7 5 3

ISBN: 978-988-877795-2

何兆武晚年，2006年（秦斌攝影）

我只是一個小人物，雖然經歷了很多年，但所有重大事情的內幕並不知道。我要講的，是一個小人物所經歷的大時代，或者說，是大時代中一個小人物的自白。

—— 何兆武

「大時代中的小人物」是何老對自己的定位，但我想說：那個洶湧、凶險的大時代從來沒有摧毀他，他的內心始終都在追求崇高，是大時代在這「小人物」前敗下陣來。它，配不上他。

—— 文靖

目　錄

何兆武和口述執筆者文靖，2016年3月（付如初攝）

他的一生，是觀看的

「六一」那天，何老輕輕的走了。他把自己活成了一首詩，揮一揮衣袖，變成一朵無聲的雲彩。

—— 文靖

《上班記》十幾年前就寫好了，因為聊的時候都混在一起，和《上學記》幾乎同時完成，最多只差了半年。何老囑我先別發表，「因為有的人還活着，說了會惹麻煩」。的確，《上學記》給他惹了一些麻煩，某甲、某乙不依不饒。何老天生從來就不喜歡與人爭，聽了只是點點腦袋，用一種「我也可以理解」的語氣，說：「馮友蘭的姑娘有不同的意見，不過……」不過，從來他沒有公開回應，就算別人敲鑼打鼓吵翻天，他也任他們說。

這就是何老，一位最謙和的老人，他有他的堅定。一生遠離政治、遠離紛爭、遠離一切世俗功利，他只躲在自己的書房裏，做份內的事，讀自己感興趣的書。所以，他永遠都不會被外面的世界亂了心性，正如網友說的那樣：「他如同一個小孩看街景一般，這個街景是喧鬧的、醜惡的，而他是一個安靜的孩子，只是隔着自家的玻璃窗看兩眼。這個狀態是他一生面對時變世變的態度，始終如一，所以可愛，所以難得。也正因為此，幾十年間的世態浮沉在他眼中就像一個魚缸，金魚海藻一目了然。」

我很喜歡這段話。所有我感受到的美好，你們也都感受到了，你們都是解讀密碼的精靈。他用一生默默堅守着的那份美好，終於蕩漾開來，濺起了更多的漣漪。

> 我不是一個建功立業的人，一生滿足於旁觀者的角色，不過是浮生中一個匆匆的過客。這就像演戲一樣，何必人人都上臺表演，做個觀眾不也很好？正如《浮士德》中燈塔守望者一邊唱一邊說的兩句話："Zum sehen geboren, zum schauen bestellt."* (我的一生就是來觀看的。)
>
> 如果能夠做一個純粹的觀者，能夠在思想裏找到安慰，我以為，就足夠了。

「大時代中的小人物」是何老對自己的定位，但我想說：那個洶湧、兇險的大時代從來沒有摧毀他，他的內心始終都在追求崇高，是大時代在這「小人物」前敗下陣來。它，配不上他。

* To see I was born, to look is my call.

1

關於這兩本書的緣起，常有人問，說了你們也不會信的。

2001年我還在讀研究生，一個炎炎夏日的下午，騎輛二手自行車晃到了照瀾院。那是片生活區，就在清華「二校門」的南邊，銀行、飯館、超市、書店，還有各種修理，面積不大，啥都有。再往南是教師住宿區、清華附小，梁思成、林徽因等等住過的小洋樓就在那邊，很漂亮。那天我去照瀾院郵局，好像是投稿。因為我總有一點心病，以為滿懷虔敬送出去的才最保險，隨便扔到郵筒裏的都不會被刊用。可巧呢，碰見了何先生。

那時候何先生已經不教書了，偶爾做一次講座，我慕名去聽過。講的甚麼全然記不得，大概是「十七、十八世紀以來……」他最常常講那部分了，而且我覺得，他一生的精神就源自那裏。何先生屬於老派的那種講法，用今天「張牙舞爪」的標準，未必精彩。他的聲音不高，也不搖頭晃腦，不屬於特煽惑的那種，但一字一句都很有條理。從來沒有一句話翻來覆去說好幾遍，那樣的人很多，一般都是因為腦子趕不上嘴。何老不介，* 他從來不在別人的耳朵裏打草稿。這樣的老先生，學問好，人也和善，絕對不會為難學生，很阿彌陀佛的。

* 「不介」即「不這樣」，屬京津地區方言。

那天下午，何先生也在郵局，正全神貫注的黏一個信封。他幹甚麼都認真，樣子可愛極了。忽然我就想嚇他一下！猜他的耳音不好，或者好不好的都沒所謂，反正我就想嚇他。學生要頑皮，是誰也攔不住的。幾步上前，對着他的耳朵大喊：

「何先生好!!!」

他怔住了，看來真的被嚇了一跳，大概以為我要搶他的膠水。抬起頭，從老花鏡的上邊定神看了看，確定只是個不認識的學生，趕緊點點頭，說：「哦——，你好、你好。」那一刻，他也是認真的。

我見過很多老人，有的越活越囂張，就像一株會移動的仙人掌，全人類都欠揍一樣。有的越活越精明，有的越活越糊塗，有的越來越好為人師，有的越來越冷漠，把自己變成了沙漠裏的胡楊。但是何老，把自己活成了老神仙。他的內心是充盈、飽滿的，卻從不事張揚。他不會打擾任何人的，跟誰他也不較勁。他有一種天真，而所有的「天真」都是一輩子修成的正果。

那天我本無聊。自從唸了哲學，經常我會處在一種無聊的狀態，像一顆紮不下根的蒲公英。我把我的感受寫成詩，但我懷疑那些郵筒其實是粉碎機，把我的句子都吃掉了。

那天的我照例無聊，因為邂逅了何先生，還嚇了他，一瞬之後的心情大好。他的那種不緊不慢、不慌張，和我周遭的一切都不一樣。世界像沒頭蒼蠅似的緊忙活，他有他的鎮定，用一種「你不煩我、我不煩你」的方式去活。溫和的霸氣，最溫和、也最霸氣，這一點我特別欣賞。但我還做不到，於是，他在我心裏就變得不可磨滅了。等又過了些年，在我更加迷惑、沮喪、更找不到北的時候，就又想起了何先生，以及照瀾院的那個下午。

一切都是上帝的安排吧，牧師不老那麼說：誰把誰送到誰的近前。

我願變成那樣的人。這次我已經準備好了，我願去聆聽、我願去修行。在他的故事裏，我登上了我的方舟。

唉，說了你們也不信，因為它聽起來毫無意義。

但其實，所謂「意義」都是後添的。包括歷史上的大事件，幾乎所有的緣由都亂成一團。只不過那些有話語權的人，為了自詡，或者痛打落水狗，才事後扒拉扒拉，挑一個最耳順的理由說給你聽 —— 然後，你就信了。因為你希望歷史是邏輯的，揚善懲惡、圓滿的，所以你就好糊弄。曾經我在廣播電臺做嘉賓，一個不停插播天氣、主要給出租車司機聽的欄目。當被問起《上學記》的機緣，我講了那次夏天的邂逅，真自討沒趣。因為他們根本不以為然，才不要聽甚麼「膠水」、「信封」之類。他們需要一個硬邦邦的，扔到地上能聽見響兒，有着歷史感、道義感的理由，一個可以高舉的「大拳頭」。他們需要「意義」，那種有勁兒的東西，用以針砭時弊、批判現實。

我編不出來。

只能說，那是一種直覺，我樂意。何以我的感受就那麼不值錢，非得捨近求遠，在歷史的長河中撈一個甚麼甚麼？還必得深刻、有啟發性。嘿，我不也萬物之靈？

何老有一種高尚，是無欲無求之後的高尚。他有一種智慧，是捫心自問之後的智慧。這是歲月打磨出來的，卻在瞬息之間就能感覺到的「真」。所以，雖然我和他的差距那麼遠，他的學養、他的經歷，我都攀不上。但總覺得很近、很親切，那是一種心靈的距離。拋開一切浮華、喧囂，我不要一切花衣裳，皇帝老子的話我都不想聽。我只想搬個小板凳坐在他邊上，這不就是最充分的理由？

至於何先生，他家的大門向所有人敞開，甚麼時候打擾都歡迎。他就像個鐘擺，奉茶一杯，到點兒開講。

2

書像一面鏡子，你心裏有甚麼，就會尋找甚麼、看到甚麼——其實，你看到的是你自己。「一言以蔽之」太武斷了，若一定要用幾句話說一本書，我也未必能說得更好，只能代表我自己。

在我看來，《上學記》是一本談「幸福」的書，難以忘懷的美好。在「萬惡」的舊社會，生活困頓、戰火連天，對政府透頂失望。但有一批最優秀、最漂亮的年輕人，在簡陋的教室裏，聽滿腦子學問、半肚子牢騷的先生論古今。從未放棄，而且「正因為打仗，所以好像直覺地、模糊地，可是又非常肯定地認為：戰爭一定會勝利，勝利以後一定會是一個非常美好的世界，一定能過上非常美好的生活。」正是那份遙遠的、模糊的，卻又十分肯定的幸福感，讓今天焦躁的我們羨慕不已。

而它的續篇《上班記》講的是「荒誕」，人間「大不幸」。春風得意的新社會，自信滿滿、幹勁十足。但在理想主義旗幟下，以革命的名義，狂颷「瞎指揮風」(毛語)。一忽兒這樣、一忽兒那樣，做盡了荒唐。深深淺淺的，它釋放了人性最卑劣的惡，無辜的人死去，真誠的人不得活。

這段離我不十分遙遠，尚屬於「活人」的歷史，經常也聽老人們講。很多事不是説説就能了的，而是扎在了他們的肉上，家家都有掩不住的傷心史。掠奪，「共產風」之下的掠奪，幾代人的財富忽然就歸零了，重新洗牌。天天、天天政治學習，一遍、一遍又一遍的彙報思想，不問就裏表忠誠。於是，屬於「真」的越來越少，最終都變成了虛偽，各個都猴兒精了。「覺悟」有先有後，浮誇、造假的人被大大獎勵，忠於良心、講真話的被打入另冊。人禍終於造就了「天災」，魯迅説「吃人」只是比喻，卻在所謂的「災荒年」屢屢發生。好不容易緩和了幾年，卻是新一波、又一波的瞎折騰。「忠字舞」把人都跳傻了，沒有世外桃源，沒地方可以躲。如果你不選擇做一個惡人，就得活在「老實交代」的恐懼中。

和別人一樣，何老也講苦難、饑餓，講不公，但他總用淡淡、淡淡的語氣，更多的是反思。所以在他的敘述中，你只能讀到淡淡的悲傷，然後又忍不住要笑。包括以後的人看這段歷史，它既是殘酷的，也是滑稽的。大幹了那麼多年，「甚至吃一塊豆腐還要限量」？在「革命」的、「理想」的名義下，處處是荒唐。可以說，建政將近三十年革命不斷，卻是一場場淌着人血的荒誕劇。徹徹底底與願違，完全不是料想中的「天堂」，而是人間地獄、「修羅場」。那麼，當時代碾過每一個人，何以堅持你的底線？何以選擇自己的路，何以解脱？

走訪何老之前，我還是個「小紅粉」，很小很小，自己都沒感覺。因為很多東西天天灌，二十幾年後，它必然進入了身體，成為你的一部分。

比如，我也學了很多年的音樂，程度不算低。但在我琴弦上，門德爾松的e小調沒有雍容華貴，而多了一點兒殺氣騰騰的革命腔，以及腰鼓、紅綢的「村氣」。沒辦法，這才是你耳濡目染、浸到骨子裏的東西，很難改變。曾經我給何老拉過一次琴，以為他會很開心。結果，當天晚上他就進了校醫院，因為胸口疼，我總以為和我不無關係。

再比如語言。永遠我都缺少真正的優雅，沒有細流般的平和、不能夠溫柔，而總硬鏘鏘的，就像《新聞聯播》，老那麼有戰鬥性。它是毛時代遺留下來的、烙在民族性裏的軟特徵，不經意間代代傳。現如今，長袍馬褂沒人穿了，拱手、作揖也要滅絕了——那些被割裂的傳統，已經被徹底砸爛了太多年，硬要斂吧斂吧往回撿，總覺得假模假式。總之，恢復舊時代的傳統是一件很難的事。但，至少在看不到邊的N多年裏，哪怕你站在反方，毛時代的影響都不會徹底消失，一張嘴就露餡兒了。

那時候的我剛上班，剛從「象牙塔」裏走出來，忽然就趕上了單位的一次革命。簡言之，就是一場自下而上的民主運動，在紙媒、知識階層內引起了轟動。雖然我也位列「群眾」，但對於這事的開頭、結果，以及背後的那個整體，總有點「大吃一驚」的感覺。因為我們自小受了很多年的教育，都是服從這個、服從那個。更高一層的人更智慧，最高的就是太陽，永遠放光芒。為了追求一個人類的甚麼甚麼宏遠目標，你要忽略自己、成全高邈。「為……偉大理想奮鬥終身」，你要去「奉獻」，犧牲個人而讓幹嘛幹嘛。因為你是渺小的，你得聽話。

忽然有一天，你發現，那些都是虛、妄。

不要說那些最高的人，就是離你最近、只高一點點的人，原來都是有私心的。嘴裏說着振振有詞的漂亮話，心裏不定打着甚麼小算盤，甚至是陰溝裏的腌臢。等你終於發現了這一點，它和你一直以為的不一樣，就會對周遭的一切產生普遍的懷疑。那些看起來有雄心、有抱負的人，那些慈愛、慈祥的，讓你忍不住交心的人，在他轉過去的時候，下一秒又變成怎麼樣的一張臉？從來我都沒經過那樣的訓練，分不清呢，到底哪個是真的，哪些是屁話？到底誰才可以信賴？

所有的烏托邦都有一個假設：每個人都像天使一樣，或者植物一樣的心無雜念。沒有私心就沒有「惡」，這是最起碼的。如果不僅僅是活着，還要完成人類的一個這樣、那樣的共同理想，就得再加一條：絕對忠誠。但是，你忽然發現人心的不可測。那個完美的終極理想，就算每經一道手只打了九折，0.9×0.9×0.9×……×0.9，傳到你手裏的時候，也所剩無幾了。

我們不是天使，也不是白菜，不可能沒有私心。我們不是螞蟻，不是蜜蜂，它們可以做到百分之百的忠誠，甚至犧牲了「性」以成就總體，早就實現了「共產主義」。但我們是人呢，勉強去做螞蟻、蜜蜂，「無私」最後就變成了「無恥」。所謂的「忠誠」都只停在嘴上，在一個巨大的高帽子下，人人掛着一張假臉，最終成就的都是兩面派。一張人類最宏偉的藍圖，近看佈滿了蛆蟲，細細碎碎的全都是欺騙。被壓抑的私欲從沒停止過橫流，無恥之徒在狂歡。

等你發現了這一切，就覺得：太陽每天都從東方升起，怎麼忽然，就沒了？你以為是花崗岩的，轟然坍塌碎了一地，只剩下升騰的齏粉、你驚愕的臉。

我也後知後覺，屬遲鈍的那一類。原本讀的工科，但一直以為，只有一樣技術值得追求：如何把核彈頭、可樂瓶子還原成空氣、土壤和水。現代化，最終就是一個垃圾場。不想跟他們一起禍害地球，我就賴在校園裏不走了，改學文。而且是哲學，一門高處不勝寒的學科、萬種學問的媽，幾乎沒有任何前途，所以也沒甚麼人讀。我還挺得意的，以為自己快成仙了。卻發現，搞哲學的也不盡是聰明人，有的很俗氣、有的很愚蠢，甚至更愚蠢。後來總算畢業了，決定不問就裏隨一回大溜，別抬頭。結果就像高臺跳水，終於鼓足了勇氣，卻一頭栽到了水泥地上。

一直我都心存幻念，以為成年人的世界也愛憎分明，釘是釘、鉚是鉚，鹿就是鹿、馬就是馬。不是埋怨我的原單位，我社乃業內翹楚，最頂級的。但正因為這樣，讓我覺得哪裏都一樣，別處甚至更糟糕。全部是利益之爭，勾心鬥角罷了，哪有那麼多的「共同」，還「理想」？切！

正當我的心情無處着落，萬幸呢，又遇見了何先生。

何先生說：「我現在也八十多歲了，回想這一生最美好的時候，還是(西南)聯大那七年……」這話說的，多唸幾遍就嚼出了悲傷。所以，他的故事、我的心事，他的過去有我可以預知、借鑒的將來。而且，他有一種我非常嚮往的，不只是學問，不只是人品，往他身邊一坐我就覺得心定。包括他的北京腔、他的那種淡然，聽他講話，你會覺得很療傷：唉，沒甚麼大了不得，甚麼都可以放下，一切都能一笑了之，世界荒誕不是你的錯。

那時候的我還年輕，沒人像我這麼有閒工夫，也沒人這麼較勁，因為我的內心充滿了困惑。剛從一個看似光芒萬丈、實則高估了人性、乃至一切皆為虛妄的信仰裏爬出來，我渴望着換一個視角，重估人的價值，渴望着解脱。所以對我來説，走訪何老這事不像一件秋天的外套，拿起、放下都無所謂。而更像一個跌倒的人，渴望着一根拐杖。

一直以來，都不僅僅是他的故事。

在那個「高尚的人該死」的年代裏，他沒有放棄高尚，而像一棵休眠的橡樹子，不失自我、活下來。在他的敘述裏，我在尋找他的邏輯，尋找自己的答案。

「一個人的性格或者思想大多初步覺醒於十二三歲，等到二十四五歲思想定型，就形成了比較成熟、確定的人生觀、世界觀。此後或許能有縱深的發展或者細節上的改變，但是不是還可以有本質的改變，我想是非常罕見的。」的確，我總有一種感覺，包括他的語言、他的思維還停留在「毛時代」以前。自嘲「生在白旗下，長在白旗下」，民主、科學是那一輩精英的底色。我發現，何老一生沒有被「赤化」，或者說「改造」，始終跟聲勢浩大的新思想格格不入，全在這層抹也抹不掉的底。

「作為學術來說，馬克思有他非常深刻、非常正確的東西，但我不相信任何人能『字字是真理』。」「『字字是謬論』的恐怕也極少，古今中外都是這樣，哪能真理都讓你一個人包了？」質疑本身就是科學的態度，凡一家之言就不必全「信」，更不用去「仰」。他的那層底色讓他更相信邏輯、信普世價值，屬於普遍的原則都鑽石一樣恒久遠。而對一忽兒這樣、一忽兒那樣的事，就像流動的沙，始終他都是警惕的。所以，革命的高調很難打動他，時代的洪水捲不走他。即便不得不振臂高呼「萬歲」，不得不舉起拳頭表達忠誠，他的內心始終在嘲笑。

可以說，正是那層「資產階級思想」的底色保全了他，沒有當官發財的念想也救了他。沒有「野」可以隱，那就隱於市，與時代保持距離，最終保全的是「自我」。

「我」之所以為「我」，在精神自由，在獨立的頭腦。但新時代是不大喜歡頭腦的，恩威並施，把眾生一層層收買為信徒。交出你們的良心，交出你們的忠誠，最好你們都是大傻子，能對「畝產萬斤」這樣的話深信不疑。因為最終會有一顆頭腦來替所有人思考，你們只需要執行，然後叫好、鼓大掌。但他不願意，又無可奈何。於是，就活在自己清清淺淺的水灣裏，安靜極了。

人只不過是一根葦草，是自然界最脆弱的東西，但他是一根能思想的葦草。

這是帕斯卡爾的話，何老特別欣賞，乃至於把自己也活成了葦草。不爭、不求，被吹歪了也不折腰，修成一根有思想的葦草。待泥沙盡落，至少屬於「我」的那一泓水就清了。

記得在2007年，中文系請何老講了一次，題目叫「談詩與真——歷史和歷史學」，就在圖書館報告廳，是清華「哲學與人生」的系列講座之一。快結束的時候，有位大一女生舉手，說：「請問何教授，歷史學的意義是甚麼？人生的意義又是甚麼？」臺下一陣噓聲，有人合上了筆記本。的確，這種空泛的話題太老套、太幼稚了，而且沒有邊際，讓人怎麼答？沒承想，何老不假片刻的思索，拿起話筒就說：

「歷史學本身沒有意義，它的意義是歷史學家所賦予的。人生本來也沒有意義，它的意義，是你所賦予的。」

哈，多精彩！呱呱呱呱……(掌聲)

所以說，千萬不要被任何烏托邦的幻想唬住。甭管甚麼宗教、主義，不論它多麼壯闊、多麼的美輪美奐，只要一世俗化就完蛋。包括自由主義，這是我師兄補充的，自由主義也是一種烏托邦。當我讀亨廷頓的書，意識到「普世主義也是一種意識形態」的時候，又一次陷入了恐慌。如今，左派、右派都迷失了，整個人類陷入了信仰危機。但，人生依舊值得追求，人生必須值得追求。讓你堅若磐石的，不在任何高邈、虛幻的人類理想，而是那個需大寫的"I"——自我。

那，才是你最終的救贖。

3

《上班記》早就寫好了，何老囑我先別發表，說：「版權都是你的，等我死了你再發，將來惹了麻煩也是你的。」這話他說過好幾次，像句玩笑，彼此卻都當真的。

加之前書曾被這樣、那樣的人議論，《上班記》更不敢怠慢，隨口的話也得查一查。比如說到林彪，「人已經叛國死了十八天，還叫人民跟着他幹革命。」又比如困難期間，全國人大不再公佈國家預算數字、決算數字。我是效率極差的人，為這些話，在電腦上一查就是幾個小時，倆眼都快瞪成二郎神了。

又比如，蒙文通被打屁股致死。孤證不立，何況一代國學大師，竟如此下場？所有記載中，只寥寥幾個隱約的字，說他被「白晝縶縲於『牛棚』之中」(蒙默語)，「負傷歸家，旋即病卒」(吳天墀語)，而這兩位先生早已去世多年。老編輯說刪了吧，不能求證的句子，別給自己惹麻煩。但我覺得，不該有人這麼白白死掉。電話給四川大學歷史系，幾經輾轉，真就找到了見證人，蒙文通的弟子、耄耋之年的張勛燎教授。老先生耳音不大好，幾近顫抖一遍遍高聲嚷，生怕我聽不見。不幾日，又親訪蒙家後人，確認了種種細節，特意寫成文字寄過來。我的老天爺，這事竟然還能核實，我是不是該佩服一下自己？

包括兩篇附錄，原本只為了註釋，結果越寫越長，最後都成了文章。跟北大唐曉峰教授聊起來，他正痛風，耐着性子聽我得意了半天，嘆口氣，說：「這是最起碼的呢，寫文章就該這樣。」

一句話我就泄氣了。唉，都是份內之事，其實也沒甚麼好吹噓的。*

《上學記》之後，有朋友約我再做口述。那些選題都意義重大，但我已傾盡所能，吐血一樣完成了我的作品、我的救贖，就足夠了。你們若有同樣的心情，恰好遇到了合適的人，一定也能成就好的作品。又有人勸我做策劃，那就更使不得了。因為我覺得，誰也不比誰聰明多少，沒有甚麼是只有你想到、而別人想不到的東西。但我可以把我的經驗告訴你，那就是：

親力親為、別偷懶，把你自認為最閃光的東西，一求到底。這個世界從不缺少瘋子、狂徒和自以為了得的聰明人。殊不知，唯獨珍貴的是傻子，你要去做其中的極品。

---

* 為不妨礙閱讀，本書註釋已縮減。又，出於對本書風格的考慮，後記和兩篇附錄將另行發表。

4

感謝《記憶》主編烏扎拉先生耐煩我，又開放了私家書庫任我亂翻。感謝葉師母留飯，私釀的果酒棒極了。感謝丁東、小群夫婦鼓勵，願你們的房子不被強拆。

感謝萬聖書園劉蘇里先生。感謝上海季風書園嚴搏非，雖隔了幾重山水，先生從不敷衍，每問必查個水落石出，由是感激。感謝人民日報社劉學先生。感謝臺灣《民生報》林英喆先生，失聯很久了，願你的牙齒都在，一切如常。

感謝北京三聯書店的前輩董秀玉、吳彬女士，以及我同年生的酒肉朋友劉蓉林小姐。你們是我「娘家」的大枕頭，傷心的時候可以抱一抱，謝謝你們待我一如當初。

感謝四川大學張勛燎教授。感謝《徐鑄成日記》整理人徐時霖，先生博聞廣識，每聊必到手機沒電，由是感激。感謝北大唐曉峰教授，雖然對我的打擊更多一些，不過打掉的都是虛驕。感謝清華唐少傑、師兄唐文明教授。兄從不以為我無知，且不像別的哲學家那樣囉嗦，總能一語破的，由是感激。感謝同窗梅賜琪教授，或者副教授？無妨，反正早晚會是的。感謝工物系蒲以康教授，作為原子彈專家，先生熱衷於民間史料搜集，多有指點。還有未及留下姓名的學界中人，感謝各位不吝賜教。

感謝本書責編哼女士，我之較勁我知道，您之查漏補缺令我兩眼放光芒。感謝出版家林道群先生，讓我覺得背後不再空蕩蕩，而是立着又一堵堅實而勇敢的牆。

何老於我有再造之恩，我之於他，不過是個忘年小友、頻頻登門的客。做口述那兩年，我們幾乎每星期都見。後來他換了股骨頭、做心臟手術，他的姐姐過世、愛人過世，他的朋友一個個都不在了。而我也要生孩子，先是六斤半的大姑娘，幾年後又「非法」超生了二姑娘。生活就像催人老的快鏡頭，與何先生見面的機會越來越少了。

漸漸的，他出不了門了。

漸漸的，他下不了床了。

漸漸的，他的聲音變得古怪。

最後兩次，他竟認不得我了。敲敲頭，用力想了老半天，還是那股子認真勁兒，指着我問：「你是誰？」

人活一百歲是種甚麼感覺呢？曾經他說，「與我同輩的人大部分都不在了，包括我的親友，我的同事、同學，以及比較熟的人，幾乎都去世了，只剩我一個……」於是，他越來越輕了，要以一種塌縮的方式，穿過宇宙的蟲洞，拋開一切去找舊相識。而我真後悔呢，沒在他尚且記得我的時候抱一抱，臨了還從他的記憶裏清零了。

每一想到此，我就要掉眼淚，滿臉都是大海的味道。

初稿於2021.3.26
昨天沒有霾，杏花謝了，桃花開

定稿於2021.9.10
又是秋天，雨打沙灘萬點坑

北圖編目員

1950年夏天，從革命大學[*] 政治研究院畢業後，我到北海旁邊的北京圖書館工作，在西文編目組做了兩年編目員，與王重民、張申府有過一些交往，下面是我印象中的這兩位先生。

1. 館長王重民

抗日戰爭以前，王重民先生就在北京圖書館[†] 工作，曾被派到倫敦、巴黎檢點所藏中國的古籍。回國後正值抗戰爆發，他就負責把一批珍貴的圖書運到上海的英美租界。後來又把這批書運到了美國，交由美國國會圖書館保存，同時他本人就留在那兒，負責管理中國善本書。當時胡適任中國駐美大使，可是仍念念不忘自己的學問，經常找王重民幫他借書。王重民也非常盡力，由此得到胡適的賞識。1946年胡適回國，之後做了北大校長，認為應該專門成立一個圖書

---

* 華北人民革命大學，簡稱「革大」，1950年與他校合併，成立人民大學，詳見《上學記 · 革大學習》(北京：人民文學出版社，2016)。

† 1909年成立的「京師圖書館」，1928年改為「北平圖書館」，1949年更名為「北京圖書館」。本書從何老口語習慣，未予糾正，讀者見諒。

館學系，就請王重民回來做系主任，解放後兼任北京圖書館館長。

「三反」運動是解放後最開始的運動之一。之前還有個「忠誠老實運動」，讓大家交代自己的歷史問題，而且每個人都要坦白。比如，女同志交代最多的就是隱瞞了年齡，大概總希望年輕一點。這都無所謂了，不過有人交代了貪污。貪污在中國歷史非常悠久，「千里做官只為財」、「三年清知府，十萬雪花銀」。尤其是在困難時期，凡有了一點特權，總要想着給自己撈些好處。「忠誠老實運動」交代出很多的貪污，而且數量很多，所以就有了後來的「三反」運動。

反貪污、反浪費、反官僚主義。北京圖書館工作人員兩百多，一般的沒有貪污，也無費可浪。可是黨支部有幾位領導平日作風跋扈，讓大家比較反感，於是紛紛響應號召，起來反對他們的官僚作風。

當時我們還帶有一些資產階級的民主思想，或者說是舊民主主義的思想，認為群眾運動是天然合理的，多數人的意見是正確的。結果我們不知道，黨是不能反的。幾個領導都是黨員，反對他們就意味着反黨，這是新民主主義時期對民主的新理解。可是剛解放的時候，我們沒有這個認識，以為這些人違反了黨的民主精神，把他們清除以後，黨會領導得更好。所以我們幹得也很起勁，不說百分之百，至少是絕大部分人都參與了反對官僚主義，搞得非常熱鬧，+結果成了反黨。

上級來處理，一批人受了處分，有的開除，有的記大過，我是其中之一。王重民雖然是館長，但並不是黨員，在這件事上沒有跟黨站在一邊，給他的處分是撤職。所以在這以後，他又回到了北大。

在北京圖書館工作的時候，我和王先生的愛人劉修業在同一個組，非常熟。1956年我調到歷史所，發現她也調到了那裏，在資料室工作。那時我家住房有困難，老少四口擠在一間小房裏，知道劉修業家有空房。那是解放前王重民在城裏買的一套四合院，就在西什庫教堂對面的惜薪司胡同——「惜薪司」是明代皇城內十三司之一，*「西什庫」就是明代皇城內西邊的十個倉庫，魏忠賢曾經就是甲字庫的太監。解放後，王先生一家隨北大搬到城外，住在暢春園，城裏的房子空了出來，我就找她租了三間西屋。劉修業平時在城裏上班，只有週末才回北大住，所以我們天天見面，她還把胡適寫給他們夫婦的詩拿給我看。八十年代，† 美國李又寧教授編胡適的資料，曾託我向王夫人借閱，可惜經過浩劫，已不存在了。

文革時候，房子全部收為公有，他們家的這套四合院也在其中。

按理説，王重民的房子不是剝削來的。他們夫妻

* 惜薪司與鐘鼓司、寶鈔司、混堂司為明代宮內四司。順治年間，仿明代宦官機構設「十三衙門」，康熙元年被裁撤，大太監伏誅，復設內務府。何老所謂的「明代皇城內十三司」疑為民間訛傳。

† 指二十世紀八十年代，從口語習慣，下同。

兩人在美國工作了將近十年，存了些錢，回來後用自己的勞動所得買了這套房，而且是用來自己住，屬於個人消費品。好比你買衣服是為了自己穿，這跟資本家生產資料的私有制不一樣。馬克思所說的「公有」是生產資料的公有，不是說你的衣服也得拿出來、你的眼鏡也得拿出來。

糾偏時期，* 周恩來曾經有一次講話，說：共產主義是指共同生產，至於個人的消費品永遠歸個人所有。可是文革的時候，所有房子全部充公，而且是無償的。所以後來是房管局把房子出租給我，就是說，所有權已經歸房管局了。文革後，劉修業曾託我問房子的事，可是房管局一直沒人答覆，就這麼不了了之了。

1975年，王重民在頤和園後山上吊自殺。

當時他都七十多歲了，其中有幾種不同的說法。據說，批林批孔的時候「批儒評法」，把中國歷史說成是儒法鬥爭的歷史，要把歷代的法家都挖出來。比如，明朝末年有個李卓吾(李贄)是反儒的，不以孔子的是非為標準，於是就把他捧出來。據說當時發現了一部李卓吾的手稿，請王重民鑒定，王先生發現是假託的。領導當然不滿意，讓他再去仔細審查，結果他找出更多的證據，認為還是假的。於是領導很不高

* 「糾偏」即「失之偏頗，予以糾正」。建政之初，各種政治運動不斷，常有政策走偏，引起民怨，於是出臺新政策加以糾正。但通常不會徹底否定從前，以維護政策的連續性。

興，一次開大會的時候說：「有的老右派還不老實，派他個任務，還在那裏搗亂！……」這給王重民的壓力很大，以為要整他，就上吊自殺了。

據統計，王重民是北大文革期間最後一個自殺的。有人說，那時候已經是文革後期了，如果他不自殺，大概也不會有多大關係。不過我以為，人和物件不一樣，物理學可以做實驗。比如測驗一克金剛鑽到底可以承受多大的壓力，一噸、十噸，一點一點往上加，但絕不能拿人做實驗。運動的時候壓力一來，有的人承受得了，有的人承受不了，比如有人可以扛一百斤，有人可以扛二百斤。但不斷地加壓，等於拿人性做實驗，總有人擔負不起，最極端的情況就是自殺，白白死掉了。

王重民最後留下一本《徐光啟》，只是個草稿，沒有寫完。文革以後，劉修業請我幫助整理校訂和補充，八十年代初由上海人民出版社出版，還得了圖書獎。可惜呢……

2. 晚年張申府

解放後，張申府先生也在北京圖書館，每天翻翻國外的書目，推薦購書。那時我剛剛三十歲，而他已經五六十歲的樣子。在我看來，他是老前輩。在他眼裏，我不過就是個小青年。

張申府屬於「五四」那一輩，年輕時就非常活躍，是中國共產黨北方的創始人之一，周恩來、朱德的入黨介紹人。如果順利的話，他也應當是黨的最高領導人了。但在1925年，因為意見不合，退出了中國共產黨。其實，他的這種做法不符合黨的組織原則，即便別人是錯的，也應該在黨內堅持自己的意見。但他還是中國舊知識分子的作風，「合則留，不合則去」，甩手不幹了。

後來張申府在清華教書，一方面做教師，另一方面又從事許多社會活動，不忘情於作為一個知識分子的社會責任。其中最出名的是「一二·九」和搞「新啟蒙運動」，在這一點上也代表了中國和西方知識分子的不同。隨着西方社會分工的不斷深入，近代西方知識分子大多是專業化的，而中國傳統知識分子還是「以天下為己任」、「國家興亡匹夫有責」的傳統。所以張申府並不是一個純學者，甚至在「一二·九」運動中充當起精神領袖的角色，並為此被清華解聘。

「五四」那輩人有兩個文化上的背景，第一是他們深厚的中國傳統文化素養，按説這對接受馬列主義有很多不利的因素；第二就是他們西方文化的背景。張申府是最早把西方哲學介紹給中國的人物之一，他最欣賞羅素，所以滿腦子都是西方自由主義的思想，後來又接受了馬克思。二戰時候，張申府在重慶搞民主運動，主張中國將來的方向應該是孔夫子、羅素、馬克思「三結合」，當時就受到左派的批判。我想這大概是他一貫的思想，孔夫子、羅素、馬克思在他那裏可以並行不悖，大概這也是他不能成為一個真正的布爾什維克的最根本原因。我在歷史所工作的時候，黨委書記尹達常把一個詞掛在嘴邊，叫作「八九維克」，就是說，你做的不是十分的布爾什維克，而是打了八九折。按照這種邏輯，張申府大概只能做到「三分之一維克」。

張申府也是民主同盟的發起人之一。抗戰勝利後，民盟總部搬到上海，北京就由「二張」(張申府、張東蓀)負責，後來張東蓀為北京和平解放在國共之間做了很多工作。有一次，我問張申府關於「二張」的事情，他說，他和張東蓀之間也勾心鬥角。我不大理解，他的回答很簡單，「就是爭權奪利」，我想這也有可能。

不過總的來說，張申府不是玩政治的人，有他天真的一面。比如1948年底，三大戰役都開始了，國民黨大勢已去，任何人都看得出來。可是張申府依然寫了一篇文章〈呼籲和平〉，刊登在儲安平主編的《觀察》雜誌上，影響很大。延安電臺馬上出來批他，罵他是「中統特務」、「美帝走狗」，民盟也把他開除了。如果當初不是因為這篇文章，用他解放後自己的話說，「現在我也是部長了」。再比如，他在戀愛方面的緋聞很多。「三反」的時候我聽他做檢討，說自己一生有「三貪」，貪財、貪名、貪色。這些事情他從不隱諱。

張申府最早把羅素和數理邏輯介紹到中國，而且一輩子都欣賞。羅素是自由主義的代表，又是和平主義者，第一次世界大戰時主張和平，被抓起來關了一陣。二戰以後，他繼續宣揚和平主張，大搞世界和平運動，反對美國稱霸，1950年得了諾貝爾文學獎。羅素在授獎儀式上發表一篇演說，認為人的本性一是物質的貪吝，一是權力欲，所以對權力要有制衡，這是他一貫的觀點。那時我從國外的雜誌上看到這篇文，碰到張申府先生，發現他還沒有看到，本來我要給他送去，結果他倒自己先跑來找我。可見，解放後他還對羅素還是十分關注的。

解放以後，當然他也知道自己的處境，用老話講，應該「閉門思過」、「韜光養晦」。可又總免不了發幾句牢騷，或者說些冠冕堂皇、應付場面的話。比如1951或52年的時候，有一次學習，他說：「現在我們是『三好』，第一領導好，第二政策好，第三人民好。」我想了想，其實這句話是說不通的。過去我們在蔣介石領導下，通貨膨脹、民不聊生，解放後人民生活安定，相比較而言，現在的確是領導好、政策好。可是，古今中外哪有「人民不好」的説法呢？我不知道他説解放後的「人民好」是甚麼意思。

還有一次開會，我正好坐在他旁邊，就請教說：「張先生，您覺得哪幾本哲學書值得讀，給介紹介紹。」於是他就介紹了列寧的《唯物論與經驗批判論》。其實這本書寫得並不怎麼樣，或者說是有問題的。因為裏面批的都是自然科學的東西，涉及問題太廣，而列寧本人對自然科學未必非常懂，論證顯得薄弱，所以現在也不大有人提這本書了。我不知道他為甚麼要推薦這本書，也不大相信他真就認為寫得好。他那麼欣賞羅素，為甚麼不推薦羅素的書？我想也許是一種「言不由衷」。

1962年我在歷史所工作，得了個任務，考察近代西方思想在中國傳播的情形，於是又想起了張申府。那時候，張申府已經戴了右派的帽子，所以我須先請示領導，批准後，才能去北京圖書館見他。我的主要任務是向他了解「五四」期間北大哲學系的情況，他談了一些，當然也扯了點別的，強調說：「個人因素對歷史的作用非常重要，比如中國要是沒有毛澤東，就會……」當然這都是題外的話，而且是比較敏感的話題，彼此之間都要有避諱，不能多談。不過我想，以他的背景，大概不會完全認同當時的一些政策。

3. 牢記一生的教訓

三十年代我在北京做中學生的時候，幾乎每週都去北京圖書館借書，印象非常美好。本來我以為，在那裏工作的都是學者，或者至少也是喜歡讀書的人，所以想去那裏工作。可是後來，發現完全不是那樣。大部分人都沒甚麼文化，和舊社會小職員差不多，沒有任何其他的興趣與理想，唯一關注的就是拿點兒錢混飯吃，或者一門心思地鑽營，拉幫結派往上爬，這些都讓我失望。

「三反」運動的時候，北京圖書館過分響應號召，反官僚主義搞得十分熱鬧，最後被定性為「反黨活動」。上面來處理了六個人，我是其中之一。我想大概因為我做過研究生，學歷高一些，又被選為學習小組的組長，所以定性以後也成了反面的代表。批我的時候，有些東西也挺可笑。比如有個人說我是小資產階級思想，有野心，想當科長。解放以後大家都在批資產階級、批資產階級思想，可又不太了解，以為凡是歸入資產階級知識分子的，必然一心想着升官發財向上爬。當科長算不算野心姑且不論，不過我知道自己不是那種人。

而且從那時候起，就開始鼓勵「大膽懷疑」，你懷疑我、我懷疑你，相互揭發，弄得人際關係非常緊張。記得1956年赫魯曉夫「非斯大林化」的時候，《人民日報》上有一篇文，說：「斯大林在提高警惕的藉口之下，在同志之間散佈了不信任。」* 從解放之初就是這樣，任何一句無心的話都可能給你上綱。最開始讓大家交代問題的時候，很多人都是非常真誠的，甚至近乎宗教的懺悔。可是後來，說了真話反而受到打擊，久而久之，人性都被改造了。

總之，這次的衝擊對我是個很好的教育，感悟良

* 略有出入。1937年，斯大林將國內的階級鬥爭尖銳化，「在黨和蘇維埃機關中出現了卑鄙的趨炎附勢的人……在加強警惕性的幌子下，這些鑽營無恥的人在黨的隊伍中散佈懷疑和不信任。」參見《蘇聯共產黨第二十次代表大會和黨史研究的任務》，節譯自1956年第三期《歷史問題》（蘇），《人民日報》1956年7月27日第七版轉載。

多，尤其對「民主」的理解，解放前、後有多麼大的不同。時至今日我都覺得，參與那次政治活動是自己一生最大的錯誤，也違背了自己的初衷。所以在後來的歷次運動中，再沒熱心響應過，無形中成了一種保護。不過，我還是離開了北京圖書館，經由老同學丁則民介紹，到西北大學師範學院(今陝西師範大學)教了四年書。

教書西北大學

我在西北大學師範學院歷史系教了四年書，有值得回憶的地方，也有不愉快的記憶。

那幾年正號召全面學習蘇聯，蘇聯教材像「聖經」一樣，等於最高指示了。教師講課不太可能自由發揮，這一點和解放前非常不同。我基本上是照謝緬諾夫的《中世紀史》教課，現學現賣，像個播音員。這倒也省心，絕對不會出問題。

不過按理說，「全面學習」是說不通的。比如王國維先生是國學大師，他的學問非常好，我們要向他學習。但是他梳長辮子，而且抽煙很厲害，連珠炮一樣一天要抽好幾包，這些我們沒必要學。所謂「學習」就是要學優點，不可能存在「全面」一說。所以在「全面學習蘇聯」的旗幟下，也有莫名其妙的時候。比如，蘇聯學生上課是六節一貫制，下午兩點才吃飯，這和中國的習慣完全不一樣。可是也照搬過來，早晨八點鐘學到下午兩點，中午餓着肚子還得學。再比如「五環節教學制」，上課五十分鐘，先五分鐘做甚麼，再十分鐘做甚麼，規定得非常細，這種公式化的教學法太機械了。

並且那兩年，包括我在內，很多教師都自學俄文，以應大量教材翻譯之需。比如清華有位教師叫孫念增，我們中學就是同學，斯米爾諾夫的《高等數學教程》就是他翻譯的，那是標準教科書。不過我倒覺得，俄文教材並不難學。第一，我有英文的底子，學起來要容易得多。第二，英美作品各人有各人的風格，掌握起來要花點兒工夫，可是蘇聯教材的語言都是「官定」的，或者叫官方語言。比如「無產階級和資產階級之間不可調和的矛盾」，或者「偉大的十月社會主義革命開闢了人類歷史的新紀元」。諸如此類的套話非常多，表述也非常固定，一個字都不錯，讀起來反而非常省事。所以我翻譯的第一本書就是俄文的，叫《太陽系結構學説發展簡史》，由科學出版社出版。因為是蘇聯出版物，又是講自然科學的，保險系數要大一點。

不過，學習俄文有時也會犯錯誤，這一點講起來也挺有意思。比如當時學校裏學《聯共黨史》，包括我在內，有些人就找來俄文本讀。上面發現以後，下了一道命令，說：「學習《聯共黨史》不准看俄文本！」我想上級的用意也很明顯，怕大家把工夫都用在學俄文上，反而忽略了《聯共黨史》的內容。

等到後來跟蘇聯鬧翻了，蘇聯教材統統取消，改用教育部自編的教材。我們那幾年的俄文也白學了，幾十年不用，現在連字母都認不全了。

在西安的日子基本上還算平靜，只有1955年趕上了抓胡風集團的運動。和剛解放時的「思想批判」確實大有不同，從思想問題升格為了政治問題，整個的氣氛也緊張起來。比如學校裏規定，不許出校門，我對這個的印象非常深。因為有一次我的鞋破了，我忘記了這個規定，拎着一隻鞋準備到校外的小攤上去修，結果走到門口被警衛攔住了。按理說，這是限制人身自由，應該是違法或違憲的——不過那是資產階級的法學觀，無產階級一切都是「以革命的名義」、「為了革命的需要」。不能修鞋，那麼只好服從了。

再有一次，就是蘇聯批斯大林的時候。這件事當時對我們是絕對的震撼，用老話講：那是「動搖國本」的事情。所以有一陣子也是天天學習，氣氛很緊張。記得有一次學習，一個年輕的同志問：「既然斯大林有這麼大的問題，為甚麼在他活着的時候不批判？」系裏有一位叫朱本源的先生很有意思，聽了也不說話，眯縫着眼睛把頭一揚，用手輕輕在脖子上劃了兩劃，意思是：當時要有人提，直接就被滅口了。

這位朱先生比我大幾歲，現在得九十多歲了。以前他是中央大學的，畢業以後留美，回來也在革命大學政治研究院學習過。後來，他在西北大學教古代史，並且一直留在那裏，現在和我還有聯繫。他這人有個缺點，喜歡公開地發表評論。因為我們的關係很好，我就勸他謹慎些，別總那麼胡說八道的，可他就是嘴上關不住。有一次我們去開會，路上我就跟他說：今天會上可能要提一件甚麼事情，「你最好不要發言，扯進去很麻煩。」到了開會，果然提到這件事，哎，他又發言了，說：「來的路上何先生跟我說，關於這件事我不要發言。可我還是要說⋯⋯」結果不但他發表了意見，而且把我也給捲了進去。

朱先生終其一生都是這樣的性格。果然，1958年也撈了個右派的帽子，我倒不覺得意外。

1952年底到1956年底，我在西安待了整整四年。雖然每年寒暑假都可以回家，但因為種種原因，我還是願意調回北京。首先，五十年代的西安生活很閉塞，圖書太少，很多想看的書都找不到，對我是個很大的缺欠。其次是生活上的不適應。比如學校裏的大喇叭廣播，似乎並沒有甚麼真正重要的內容，但只要一下課就開始放。翻來覆去總那幾首歌，不想聽也強迫你聽，實在是一種噪音污染，讓我覺得煩惱極了。印象最深的就是常香玉的豫劇。她是「愛國藝人」，抗美援朝獻了一架飛機，廣播裏就整天放她的《紅娘》。所以直到現在，一聽到豫劇我就反感。不是豫劇不好，而是先前被迫聽得太多，敗壞了胃口。

再有一點，西北地方相對落後，不少教師都是外地調來支援的。比如上海交大，差不多分出一半到西安。學校裏似乎宗派意識很強，雖然未必是故意的，但語言、習慣上的差異，事實上造成了外地教師和本地教師間的隔膜。記得有個上海調來的年輕人，非常活潑，學了一嘴西安話，可是又説不像。因為我和她很熟了，就勸她説：「你那西安話説的不怎麼樣，聽了還以為是故意出人家的洋相，還不如不説。」就我個人的感覺，我們這些外地調來的教師似乎並沒有能真正融入本地的圈子裏，始終都是作為「外人」、「客人」存在。這就像你到國外去一樣，如果周圍只有你一個中國人，哪怕別人並不是故意的，但你自己總會有一種局外人的感覺。這一點我始終不適應，於是就想到了回北京，畢竟那裏才是我的家。

1956年，黨中央號召「向科學進軍」。科學院各個研究所都招兵買馬，於是我又調了回來。在歷史所，一待就是三十年。

歷史所三十年・上

1. 紅旗單位「反右」

1956年我調到歷史所，不久就趕上「反右」。不過歷史所還好，一來受中宣部直接領導，公認的紅旗單位，二來也有保護名人的考慮，全所一百多人只抓了五六個右派。比如顧頡剛先生並不在其中，後來他自己還貼大字報，自命「漏網之魚」。

其他單位也有知名人物沒戴帽子的。比如「鳴放」* 時候，華羅庚參加了六教授的發言，聯合署名發表了文章。後來那六個人，曾昭倫、費孝通、錢偉長、黃藥眠等等都是右派，華羅庚不是。歷史所的名人裏，只有副所長向達先生一個是右派，因為他在「鳴放」時候發言，引了一段魏默深(魏源)的話，批評時下的假話成風。向先生的性格非常倔強，1964年自費到廣州去看陳寅恪，這種事情別人是不會幹的，可他就要去做。文革初期，把他發配到十三陵勞動，

* 1956年頒佈「雙百」方針，即學術、藝術領域的「百花齊放，百家爭鳴」。1957年春擴大到政治領域，發動群眾提意見，允許對黨、對政府公開批評，簡稱「鳴放」。但隨着言論的尖銳化，超出了毛容忍的底線，轉而成為「引蛇出洞」，五十五萬人被劃為「右派」。

病很重也不去就診。其實，開頭時候不是很嚴重，可他始終不去看，就這樣死掉了。

1957到1958年間，對知識界的批判是不斷的。比如批人民大學的尚鉞，那是位老資格的學者，我想他現在大概已經去世了，不然也一百多歲了。當時歷史學界有個熱門題目，討論中國封建社會開始的具體時間。因為《毛選》裏說，自從周秦以來，中國就是封建社會了，這是我們的標準提法。但周朝八百年，再加上秦朝，《毛選》裏並沒有說具體的時間，所以就成了歷史學界的一個熱門題目。尚鉞的提法是從魏晉時候開始，現在北師大的何茲全也是這個提法。但在當時，這是違反最高指示的，所以就批尚鉞，大家紛紛寫文章。再一次是批哲學所徐懋庸，過去他是武漢大學的黨委書記。諸如此類的批判一波接一波，歷史所給大家分派任務，我的任務是批雷海宗。

雷先生是我的老師了，我在西南聯大做學生的時候，他是歷史系主任，解放後調到南開去了。雷先生一貫的觀點認為，奴隸社會不是古代的主要社會形態，並不佔主要地位。他的這種說法等於否認了奴隸社會和「五種方式」，於是就批他。我對奴隸社會並沒有研究，不知道從何下手，就從他以前的作品裏抄了幾段，加了批田語交上去。後來我們黨小組的小組長來找我，他是學術秘書了，向我道歉，說：「批雷海宗的那篇文章你有底稿嗎？」解釋了半天我才明白，他把我的稿子給弄丟了。當然我也很安慰，並不是說學生不可以批評老師，而是自己寫的那些東西實在不像樣，丟了最好。所以批右派時候，我就不用再寫文章了，在天津批判雷先生的大會也不必參加了。

在當時，不僅老一輩知識分子受衝擊，青年右派也非常多。有一次中科院在中山公園音樂堂開批鬥會，其中一個才十九歲。這麼年輕，是甚麼問題呢？1954年時候，公佈了第一部憲法，其中規定國家主席必須滿足幾個條件，比如必須是中華人民共和國的公民，必須年滿三十五週歲等等。這個年輕人就在日記裏寫：「國家主席必須年滿三十五週歲，今年我才十九歲，得等多少年呢？」如果是在美國，年輕人有了這種想法會得到讚美，認為他有出息。但在當時的情況下，他的日記被人發現了，就說他是野心家，想當國家主席。

那次批鬥會上還有一個青年右派，是物理所的項志遴，才二十七歲。他的家庭成分非常好，幾個哥哥、姐姐都是革命的，其中一個就是後來社科院的院長胡繩(原名項志逖)。項志遴的功課好，早年被保送去蘇聯，可是到了以後發現許多問題，給國內的朋友寫信，說：「我現在思想變化很大，如果你不同意的話，我們可以分手。」他在日記裏還說：「世界文明的進步是全人類共同努力的結果，不能全歸功於某一個人，或者某一個黨派。」其實這話是有針對的。時代的進步不能歸功於某一個人，退步也不能全部歸過於某一個人。但蘇聯把全部的成果都歸功於黨的領導，歸功於斯大林，他覺得這個有問題。所以，項志遴屬於真正有思想理論的右派。

當時還把他的材料發給大家看，在這一點上，「反右」前後的批鬥會有所不同。以前鬥某某人的時候，一般都會把材料印出來給大家看。比如他說過哪些不好的話、寫過哪些日記等等，可是後來漸漸就沒有了，據說這是吸收了土改的教訓。土改時候鬥地主，起先還讓地主說一說。結果大家聽了以後，又開始同情地主，效果很不好，所以後來就不再讓地主講了。鬥項志遴的時候也是，他的那些材料本來是供批判用的，可是起到了相反的作用，大家都覺得他說的有道理。而且類似的情況很多，所以後來一直到文革，批鬥會就不再發材料了，叫作「避免放毒」。任憑隨便甚麼人來批，又不許辯護，於是就開始了胡編亂造。

2. 從「大躍進」到饑饉

「反右」過後是「大躍進」，從1958年開始，現在看來是胡鬧了。不過我想，毛當時確實有一個很浪漫的想法，資產階級幾百年做不到的事情，我們馬上就可以做到。

「總路線、大躍進、人民公社」這是三面紅旗，強調「一大二公」(人民公社規模大、公有化)、「一平二調」(平均主義，無償調撥)。徐水公社吃飯不要錢，《人民日報》大字標題：吃飯不要錢，古今中外誰見了。* 現在我們還說自己是社會主義初級階段，但那時候的《人民日報》上就寫着：看來共產主義已經離我們不遠了。†

我猜想，毛是用這些辦法來論證自己的正確：你們這些右派總說我們這麼不行、那麼不行，你看我們馬上就可以「十五年超英、五十年趕美」！1956年毛在「八大」上有一次講話，收在《毛選》第五卷裏，說：我們號稱是社會主義，據說有點兒優越性，如果五六十年之內還不能超過美國，那就從地球上開除我們的「球籍」。聽起來也是斬釘截鐵的。

可是到現在，已經滿五十年了。我們人均產值只有一千多美元，臺灣一萬六，美國是四萬。‡ 不但沒有超過，而且遠遠的落後，要這麼說的話，應該「開除球籍」了。

凡是偉大的理想家，都有自己的理想國。比如柏

---

* 1958、59年間，有關「吃飯不要錢」的報導可謂鋪天蓋地。詩人徐遲在贊詩中寫道：「吃飯不要錢，幾曾聽說過？吃飯不要錢，哪裏看見過？自古所沒有，世界也從無。哪能有這事？怕是說夢話。吃飯不要錢，誰知是真的！……生產翻幾番，糧食吃不完。吃飯不要錢，夢想要實現。消息傳出去，世界要震動。東方一片紅，萬歲毛澤東。」參見《人民日報》1958年10月10日第八版。

† 「大躍進」期間，關於「社會主義新世界欣欣向榮」、「帝國主義舊世界已經日落西山」，社會主義具有絕對優勢，必將取得決定性的勝利，帝國主義的末日「已經不遠了」，我們實現共產主義理想的日子「已經不遠了」，「共產主義制度無往不勝」等等文字，屢見報端。

‡ 約為2005年的數據。

拉圖、孟子，一直到近代的康有為寫《大同書》。毛也是這樣，他的理想國就是以人民公社為單位，每個小單元都自足自給。其實這是很落後的小農思想，而現代社會是要專業化的合作生產，都要相互依存的。

我有一個同學叫關崇焜，中學、大學都在一起，後來他在交通部做總工程師。有一次跟我聊天，他說：「越是現代化，就越不是自足自給。」比如波音公司造飛機，它的拳頭產品是發動機，那是自己製造的。但精密儀器用的是德國、瑞士的，電子零件用日本的，因為這樣最經濟，性能也最好。我覺得他說的有道理，因為這是最高效率的組合，越是現代，越要講求分工合作。那本來是社會進步的標誌，亞當·斯密在《國富論》裏一開頭就講分工的必要，但我們卻追求每個公社都自足自給。甚麼都做，甚麼又都不能做精，那只能是一種很落後的、中世紀傳統的生活。

在江西的時候，有人批評過毛，說他是落後的農民思想。我想確實也是這樣。毛設想的世外桃花源式的理想國就是人民公社，「農林牧副漁」、「工農兵學商」，每個公社都朝着這個方向發展，每個單位都有自己的食堂、醫務室、幼稚園，甚至辦大學，一個公社就是一個單細胞，這就背離了現代社會進步的法則。比如歷史所，不過才二百人，還有自己的電工、木工。可是電路不會天天出毛病，臨時找人做就可以了，那不比三百六十天養一個人經濟得多？而我們呢，本來是研究歷史的，結果每個人都按全能型要求。今天讓我們幹農民的活、明天幹工人的活，其實都是不務正業。

毛本人有很多浪漫的想法，真的以為只要革命加生產，甚麼人間奇蹟都可以做得出來。《人民日報》天天報道，哪裏又畝產超過了萬斤，我想有很多人都持懷疑態度：怎麼能從以前的畝產幾百斤，一下翻到了多少萬斤呢？前幾年報紙上說，袁隆平做試驗，已經達到畝產800公斤，下一個目標是再用五年達到900公斤。可我們在「大躍進」的那幾年，早就已經畝產多少萬斤了。我想，那時候有很多人知道是假的，不然都畝產萬斤了，怎麼會還吃不飽？

不過有一件事情可以證明，毛是真正相信的。有一次報道，說毛到河北視察，和農民座談，說：「你們有這麼多糧食，吃不了打算怎麼辦？」農民回答說：「吃不了我們換機器。」毛說：不要換機器，你們將來可以三分之一休耕，三分之一園林化，另外三分之一種糧食。* 我想他既然這麼說，大概就真是以為糧食多得吃不了，認為是「大躍進」成功了，共產主義真的不遠了。哪裏會想到，馬上就要鬧全國性的饑荒，所謂的「三年困難」接踵而來。

1950到52年，我在北圖工作，一個月工資有

* 1958年8月上旬視察河北，聽了徐水縣委第一書記張國忠的彙報，毛很高興。在30日的北戴河中央政治局擴大會議上，毛提出，幾年之後農村也要園林化，「幾年之後，畝產量很高了，不需要那麼多耕地面積了，可以拿三分之一種樹，三分之一種糧，三分之一休耕。」參見《毛澤東年譜(1949–1976)》(北京：中央文獻出版社，2013)，第三卷，頁425。

五六十塊錢。那段時間物價非常穩定，過得還算可以。可是到1954、55年就開始緊張了，買肉排長隊，而且排隊也未必買得到。1955年以後，供應越來越緊張，糧食一減再減。最緊張的時候，我一個月領二十九斤半的糧票，就是說，限制每人每天只能吃一斤。雞蛋論戶配給，每戶每月有兩斤，大約十來個。如果按一家三四個人計算，平均每人每星期有一個雞蛋，而且還不敢用油煎——每人每月只有半斤的油，炒兩次雞蛋，這個月油也沒的吃了。沒有菜、沒有肉，一切副食、零食都沒有，全指着這一點定量供應，這哪能吃飽？

我家住在西什庫教堂對面的惜薪胡同。明代的皇城裏有十三個司，「惜薪司」是其中之一，大概是放柴炭的那麼個地方。胡同口上有一個賣菜的商店，1959年或者1960年，有一天早上我去買菜，可是甚麼都沒有。我走了一站地到西四菜市場，也是空的，於是又走兩站地，到西單菜市場。那是北京市內最大的兩個菜市場之一了，另外一個是東單菜市場。到了以後大失所望，只有架子上擺了兩棵白菜，想買？對不起，不賣，那是樣品。沒辦法，只好又從西單走回來。那時候我還不到四十歲，按說年紀不算大，可是身體總吃不飽，路都走不動。不過才走了半個多小時，覺得累得要命，回到家裏就想躺着。而且，轉了老半天一無所獲，好像打了敗仗一樣，心情 糜極了。

有幾件事情給我的印象很深。那時候我住在城裏的四合院，有一個鄰居是我的中學同學，當時做小學教師，我住西屋、她住北屋。一天早上起來看見她，忽然發現變成了一個大胖子——其實是浮腫了，讓我心裏挺難過的。過些日子慢慢好了，可是沒幾天，忽然又變成了一個大胖子。這對健康的損害非常厲害，怎麼吃得消？她的女兒是個高中生，一天從醫院回來，我問：「二妹，你甚麼病啊？」她倒挺乾脆，說：「大夫給看了，說沒病，就是餓的。」

再比如，我們組有一個同事叫牛繼斌，家裏孩子多，生活挺苦的。每天中午下班，他比別人走得都晚，拿一個口袋在樹底下轉悠，揀一包嫩的葉子帶回家吃。我小的時候吃過藤蘿餅，一種紫色的小花，烙在餅裏再加些糖，非常香。但那是吃着玩的，怎麼能當正經飯？以前只是聽說，人餓極了就啃草根、吃樹皮，沒想到親眼見到了摘樹葉子吃。北京城裏尚且如此，外地農村就更不用說了。

我那時候四十歲上下，身體也有毛病，不過問題不大，只有兩樣感覺非常明顯。一是走路，多走幾步就覺得累得要命，好像剛跑完了馬拉松一樣，回到家裏就想躺着。另一個感覺是看書，有時候眼前突然就一片黑，甚麼都看不見了，只好閉着眼睛等，過十幾分鐘又好了。我不知道甚麼毛病，問一個懂醫的人，他說沒別的毛病，就是營養不良，吃飽了就沒問題。

後來實行了一種辦法，分成幾個級別實行配給，級別高的可以供應好一點。給我配的是乙級，每月有半斤黃豆，一斤或者半斤白糖，大概還有點兒別的。另外，當時除了糧票，還有布票、工業券，也都是配給，就表示這些也不能正常供應了。每年限用十幾尺布，文革時有一年布票漲了幾尺，大家還要感謝偉大的文化大革命，感謝它給我們漲了幾尺布。

歷史所一年可以分兩輛自行車，幾十個人去抽籤，好幾年我都沒輪上。不過有一次我抽中了，是一張八塊錢的塑膠布，買回來鋪在桌子上。其實我想，那塑膠布八毛錢的成本都用不了。不過那時候甚麼都沒有，能買到就很高興了。所以只要有機會，不管是甚麼東西，也不管有用沒用，大家就都搶着去抽籤。

困難期間有兩種解釋，一說是自然災害，二說是蘇聯逼債，不過我總不太相信。當然，以中國那麼大的國家，不會幾萬里都風調雨順，總會找出幾個自然災害的地方。但那幾年，似乎沒有特別大的災情。北京市長彭真有個解釋，說：去年「大躍進」高產，甚麼甚麼多用了一點，甚麼甚麼多用了一點，結果大家反而不夠吃了。* 這個說法好像也說不過去，糧食多了首先要給人多吃點，怎麼能首先幹了別的？

包括我家在內，許多家庭特意準備一個秤。每次

---

* 無從考證。周恩來曾在講話中說：「糧、菜、肉，去年農村多吃了一點，現在只好少吃一點，要在三個月內不吃肉。」(1959.5.11)又曾致信中央，道：「……明確講去年農業確實大豐收、大躍進，但由於一時吃多、用多、花多了，今年才出現一時、一部分物資不足的現象。」(1959.6.1)等等，是為旁證。參見《周恩來年譜(1949–1976)》(北京：中央文獻出版社，1997)，中卷，頁226、232。

做飯前先稱份量，不要今天煮多了，月底沒的吃。而且我知道，在最困難的時候，有的家庭是每個人分開吃的。據説鄉下餓死很多人，具體我不清楚，但城裏一連三四年家家都吃不飽，這是明擺着的。所以，倒是那幾年政治上比較緩和——勁都沒有了，哪還搞得動？

3. 三年調整

1959年，毛從第一線退下來，理由是免除一切具體的工作，可以集中精力考慮理論問題。於是劉少奇上去，定了許多新的辦法，農業幾十條、工業幾十條、教育幾十條等等。其實也沒甚麼特殊的，只不過比較實事求是，要按規矩辦事。

比如有個辦法實行了一陣子，要保證每週的「六分之五」，就是説，每週要有五天幹業務，不要總是成天的不務正業。再比如「三自一包」，自留地、自由市場、自負盈虧和包產到戶。我小時候在北京，那還是解放前了，商店服務員的態度都非常之好。他們有一句口頭語，「進門就是財神爺」，凡進了商店門都是來花錢的，所以他們的態度非常好。可是解放後不一樣了，賣多賣少和售貨員完全沒有關係，買東西的人就像吃嗟來之食一樣，大傢伙都排着隊等他施給，所以他們的態度就變得惡劣起來。劉少奇搞「自負盈虧」，虧了、賺了都是自己的，一下就把生產者、經營者的積極性調動起來，態度馬上又不一樣了。農村也是這樣。一直到1964年我們下鄉「四清」的時候，有一次我走在路上，看見大部分的麥田都稀稀拉拉，唯有一片長得格外好。我覺得很奇怪，旁邊一位同事就說：「您放心，那就是自留地。」

劉少奇的這些辦法，用後來文革的術語講，就是「乞靈於資本主義的優越性」，不過還是很有效的。經過三年調整，中國經濟又慢慢緩過氣來，生活上的供應也好了一些。記得1963年到上海出差，我在南京下車待了一天，找到住處後到玄武湖閒逛。一出挹江門，就看見一個擺攤的小販賣炒花生米。我有好幾年都沒吃花生米了，一看見就忍不住，給了他兩毛錢。沒想到買了那麼大一包，一路走一路吃，非常高興，晚飯都給省了。

自己沒搞好，別人上來又搞上去了，眼看着資本主義的優越性起了作用，我想這件事對毛一定有影響，心情總是不愉快的。薄一波有個回憶錄，裏邊提到1962年初人民大會堂的七千人大會，劉少奇有個總結三年困難時期的講話，說：「我們遇到了困難，有人說是天災，有人說是人禍。要我說，是三分天災，七分人禍。」這個話，仔細想想就有問題。天災沒辦法，只能由老天爺負責，但七分人禍是誰造成的？總得有人負責吧，所以劉的話是很犯忌的。後來，林彪也在會上做了發言，當時他是副總理兼國防部長，說：「毛主席是英明偉大的，他的指示都是正確的，為甚麼沒有搞好？都是因為我們沒有很好地領會、很好地實踐毛主席的思想，所以才出了問題。」薄一波在回憶錄上似乎暗示，毛聽了這話非常高興，大概就是在那個時候決定，用林取代劉。我想，這一點可能是真的。

中國歷史上，漢代以後，歷代都是異姓不封王，只有少數例外，郭子儀是其中之一。郭子儀平回紇，危難之時再造社稷，一生戰功無數，功勞特別大，所以封了汾陽王。史書上讚美他「功高震主而主不疑」，* 這句話是很值得揣摩的。有一齣戲叫《打金枝》，代宗皇帝把公主下嫁給郭子儀的兒子郭曖。郭子儀過生日，眾多兒子、兒媳都來拜，唯有公主不去，說：「我是金枝玉葉……」郭曖非常生氣，說：「沒有我爸爸，你爸爸做得了皇上？」然後就把公主給打了。郭曖這話非常大逆不道，就像反黨、反領袖一樣，是最大的罪狀了，於是郭子儀綁了他的兒子上殿請罪。又比如曾國藩，太平天國打下了差不多半壁江山，清王朝眼看就要垮臺，已經準備要退回東北去了，多虧曾國藩平了太平天國，功勞之大可想而知。據說有人勸他再進一步，但在這一點上，曾國藩自始至終非常警惕。

中國傳統的道德觀都是「功則歸上，過則歸己」，這是維護皇權絕對權威的一種辦法，也可以說是政治學上的常識。可是劉少奇在這一點上似乎並不懂得韜晦，沒有做好。

---

* 「功蓋天下而主不疑，位極人臣而眾不疾，窮奢極欲而人不非之」，語出《資治通鑑》。

比如那幾年，每逢國慶，《人民日報》上都是兩張主席照片並列，這邊毛澤東、那邊劉少奇，平行着放。* 可是，絕對權力只能集中在一個人身上，「天無二日，國無二君」，最高領導只能是一個，怎麼能並排貼出兩個主席？後來林彪就很注意這一點，包括那些走路的照片，都是他跟在毛的後面，手裏舉着《毛主席語錄》。再比如，現在我們在外交禮儀上和國際接軌了，國家領導人出訪都按照國際慣例，可以攜夫人同往。但那時候我們還沒有這個先例，蘇聯也一樣，斯大林就從來不攜夫人。可是劉少奇出國要帶上王光美，非常的風光，等於擺到了第一夫人的位置上，江青會怎麼想呢？而且，劉少奇還帶王光美在全國巡講桃園經驗，讚美說：「她有這個經驗，我們沒經驗的講不出來。」† 有句話叫「六億神州盡舜堯」，既然那麼多的舜堯，何必一定要讓自己的夫人出來？現在我們知道，江青是個喜歡嫉妒的人，為這件事情，她的心裏會是甚麼感受呢？

權力鬥爭面前，即便是父子之間、夫妻之間也毫不客氣，更不要說對旁人了。唐玄宗被趕到四川，回

* 1959年10月1日，《人民日報》頭版並排刊發了毛澤東、劉少奇的標準像，從此成為慣例，直到文革開始。

† 無從考證，1963–1964年間，王光美在河北省撫寧縣的桃園大隊蹲點「四清」，作了一份關於「桃園經驗」的報告。劉少奇認為，這是「比較完全、比較細緻的典型經驗總結」，「有普遍意義」。經毛批示後，此一報告作為中央文件下發全國。參見《劉少奇年譜(1898–1969)》(北京：中央文獻出版社，1996)，下卷，頁600–601。

來以後他的兒子已經繼了位，父子之間非常緊張，好幾次差點鬧出大悲劇。西太后出於私心立光緒，以為她妹妹的兒子就最保險了，結果也是鬧矛盾，沒有絲毫的緩和餘地。可惜劉少奇不像毛那樣熟悉中國歷史，不懂得「功高震主」是很遭忌的事情。

當然也有例外，比如華盛頓。有人鼓勵他做皇帝，可是他做了兩任總統以後，怎麼勸也不幹了，這是個例外。至於其他人，比如拿破崙就要終身執政，然後做了皇帝，袁世凱也是終身總統，最後還是要做皇上。我們也有憲法，可那是紙面上的，並沒有一種體制能夠保證最高權力不受制約。比如憲法上規定，國家主席由人大選舉，罷免主席也應該經過人大表決等等一套合法的程序。可是劉少奇，一個國家的最高領導，就這麼稀裏糊塗的下去了，並沒人把憲法拿出來做依據，要求依法辦事。

自此以後，空氣越來越緊張。「三自一包」等等全部取消，認為從劉少奇的「資產階級司令部」到下面的層層領導，政權都有資產階級壞分子在把持，階級敵人無處不在。最高指示要我們念念不忘階級鬥爭，「階級鬥爭要年年講、月月講、天天講」，* 任何

---

* 1962年9月，中共八屆十中全會發出了「千萬不要忘記階級鬥爭」的號召。開幕會議上，毛說：「關於階級和階級鬥爭，我們可以現在就講起，年年講，月月講，開一次中央全會就講，開一次黨代表大會就講，全黨提高警惕，使我們有一條比較清醒的馬克思列寧主義的路線。」參見《毛澤東年譜(1949–1976)》，第五卷，頁152。實際上，毛本人沒說過「天天講」，但此一說法廣為流傳。

問題都上升到這個高度，叫作「上綱」。甚至你穿了件新衣服，都可能被説成要變「修」* 了。政治氣氛越來越濃厚，階級鬥爭逐漸變成了最根本的、壓倒一切的任務。

4. 下鄉「四清」

從1962、63年起，政治氣氛逐漸升溫，先是從文教界開始。比如批判「鬼戲」，批判電影《舞台姐妹》，批判中間人物。説文學作品總寫那些中不溜的人物，既不是最先進的，也不是最落後的，所以要批判。對外是「九評」† 批赫魯曉夫，主要目的還是要警惕中國的赫魯曉夫，説是「赫魯曉夫就睡在我們的身邊」。曾經我在一份權威的報紙上看到一個提法，當然也就是一筆帶過了，説：現在回頭看「九評」，説的不過都是些空話。‡

赫魯曉夫提出和平過渡，説資本主義可以通過和

* 「修正主義」之簡稱，即：打着馬克思主義的旗號，歪曲、篡改、反對馬克思主義的資產階級思潮。1960年代中蘇交惡，蘇聯被稱為「修正主義」，被毛認定是資本主義復辟。之後，這個詞被濫用，也指生活中的所謂「小資產階級作風」。

† 二十世紀六十年代，中蘇「十年論戰」，曠日持久，關係降到了冰點。其中，1963年9月至次年7月間，中共中央以《人民日報》、《紅旗》雜誌編輯部的名義，陸續發表了九篇評論蘇共中央公開信的論戰文章，統稱「九評」。

‡ 無從考證。1989年5月16日，鄧小平會見戈巴契夫，談及中蘇論戰時，道：「經過二十多年的實踐，回過頭來看，雙方都講了許多空話。」是為旁證。參見《鄧小平選集》(北京：人民出版社，1993)，第三卷，頁291。

平的方式過渡到社會主義、共產主義，也是為了緩和與西方國家的關係。但我們「九評」中最根本的一點，就是提出沒有和平過渡，而必須經過武裝鬥爭。「槍桿子裏邊出政權」是毛的一個基本想法，所以就是要強調階級鬥爭，年年講、月月講、天天講。可是國家總也上不去，連溫飽都談不上，甚至吃一塊豆腐還要限量。我想，這是他當政二十幾年始終沒有解決的一個矛盾。

1964年，正是三年「自然災害」剛過去不久，歷史所下到山東海陽縣搞「四清」。最高指示說「三分之一的政權不在我們(無產階級)手裏」，於是先天就認定，農村這些領導幹部中就有那三分之一的資產階級分子在作祟——毛很有意思，總能說出個數字的估計。比如「百分之九十五以上的幹部都是好的」等等，不知都是甚麼根據。其實，這是先有結論的調查方法，明擺着的不合理，我們也無可奈何。

下去之前，在濟南集中學習了三天。省委第一書記譚啟龍給我們做報告，其他的話我都忘了，只有一句始終記得，他說：「這次你們下鄉，可要注意老百姓的生活，不能再像『大躍進』那樣，不顧人民的死活。」真乃仁者之言，至少他肯說真話，這就很不容易了。但問題是：壓力來了，誰能頂得住呢？

最糟糕的是攀比成風。比如抓貪污，哪個鄉都抓出一大串，一貪污就是幾千斤糧食，我們卻一個都沒抓着，怎麼交帳？按某種意義上說，如果沒有貪污應該很安慰才是。但「階級鬥爭是普遍存在的」，你不抓他，那就整你好了。於是，我們就在毫無根據的情況下，開始了對農村幹部的審察。而且問的時候還不叫「貪污」，而是「偷」。因為大家都吃不飽，幾乎沒有不偷的。至於到底偷了多少，恐怕連他自己都不知道。

「你偷多少斤糧食？」

「五百斤。」

「五百斤？告訴你，我們掌握你的材料，老實交代，到底偷了多少斤?!」

一看過不了關，被審的人也隨風長，說：「一千斤。」

「回去你好好想想，明天再來交代。」

第二天又來了，說：「老實交代，到底偷了多少斤?!」那人一看還是過不了關，就說：「兩千斤。」一直說到一萬斤，甚至更多。總之，你想要多少斤我就報多少斤，沒有甚麼原則，直到你滿意為止，終於可以過關了。其實，我們也不知道他偷沒偷糧食，完全是詐他。有的時候還誘供，直到幾個人的口徑全部對上。我覺得這完全是一種父道政治(paternalistic politics)，「作之君，作之親」，而且有的家長很霸道，他說甚麼就得是甚麼。然後底下人就盲目相信，領導讓幹甚麼就幹甚麼，跟小孩一樣。

那次下鄉還有一個觸動，就是發現農村依然極其的落後，簡直讓人想像不到。或許兩千年前的情形也不過如此，比如秦朝、漢朝，因為你沒法把他們的生活想得再簡單了。

海陽縣在青島東北兩百多里，按理說是老解放區了，我們去的時候解放已經二十年，總不能歸咎於「反動統治」了吧？就算在一個荒島上從零開始，二十年的時間也應該過得去了，怎麼會窮困到那種程度？任何現代化的東西都沒有，沒有電燈，天黑就睡覺，有的連被子也沒有，就一床破棉絮。四五個小孩擠在土炕上，個個都光屁股，吃喝拉撒睡全在上面，大便用手一摸胡嚕到地上，接着就去拿吃的。房子都是夯土打壘的，窗戶外面就是垃圾堆。豬圈和屋子緊挨在一起，空氣十分惡劣，加上室內不通風，很多人有氣管炎。而且非常奇怪，鄉下幾乎所有的人都犯胃病，為甚麼呢？後來我發現，當地人一年四季幾乎只有一種東西可以吃——白薯。北京冬天賣的那種烤白薯紅得流油，又甜又香又熱乎，好吃極了。可是鄉下的那種白薯又苦又澀，簡直難以下嚥。據當地的老鄉說，這是日本來的品種，唯一的優點就是產量高，一畝可以達到兩千斤。下來以後切片曬乾，每天兩頓，天天吃、月月吃，終年不斷，怎麼能不得胃病？

過去我們過分強調了精神方面，包括蔣介石也說過「精神勝於物質」，但我總覺得，在這一點是過分唯心論了。畢竟人民生活窮困還是最現實的，多少原子彈爆炸成功也替代不了。

一起勞動的時候，我曾和幾個農民聊天，問他們一年能掙多少錢？他們説，一年工分的錢差不多能買一雙新的籃球鞋。這實在讓人震驚，我才知道，為甚麼他們都穿很差很差的鞋，甚至有些農民根本沒鞋穿。70年代下幹校，有一次我去趕集，回來路上和當地的老鄉聊天，也問他們一年能掙多少錢。他們的回答倒乾脆：「沒錢。」這回更徹底了，怎麼會這樣？而且，農村裏的風氣也並不好，比如記工分。每天記分多少都掌握在領導手裏邊，這裏就有很大的學問了。有一種風氣叫「跑分」，因為凡領導家裏的人出工就多記分。所以一看見領導的家屬幹甚麼活兒，大家就跑去跟着幹，無論勞動輕重，保證能多記分。

還有一點怪現象，那時候也有義務學校了，可是他們的子女大都不願意唸書。有個隊長讀到小學四年級，結果還蹲了三次班，可見他們對知識的重視程度。當然這是和實際利益掛鉤的。所有人都憑工分吃飯，都是很原始的重體力活兒，何況「知識越多越反動」，誰也不願意戴一頂反動的帽子，還要知識做甚麼？

中國的農業始終拖着社會進步的後腿，毛最初的想法是要改造農民，〈論人民民主專政〉裏就這麼説，可是好像始終不成功。按道理説，社會穩定後，用上三年五載就該有基本的恢復，有個一二十年就可以建設得很不錯了。可是解放都二十多年了，一直到文革結束，普遍的物質生活水平幾乎沒有甚麼進步，連工資都是二十年一貫，這是為甚麼？

歷史所三十年·中

我常想，文化大革命對於學理科、工科的人來講，是一次莫大的損失。大好的年華都白白浪費了，太可惜。唯有對學文科的人，這是一個千載難逢的機會。梁啟超說，中國的二十四史就是一部「大相斫書」(相互砍殺的歷史)、「大修羅場」(人間地獄)。誠如他所說，中國的歷史太骯髒、太可怕了。文革十年不過是中國五千年文明的一個濃縮，只有親身經歷過，才能深刻體會。或者說，如果一個人沒有經歷過文革，沒有在文革中挨過批、挨過鬥，那麼他對中國歷史的了解最多僅僅停留在「知道」(know)的層面，而不會是真正的「理解」(understand)。

所以，如果我們這些學文科的人不很好地寫一部文革史，我們對不起子孫後代。當然，子孫後代也不可能真正理解，我更不希望他們有真正理解的機會。但願這種事在以後的一千年裏，都不要再出現了。

1. 文革開始，天下大亂

文革一開頭是最混亂的。林彪在「九大」上有一段話，開頭幾句說：「過去我們沒有找到一種辦法，能有效的、從下而上的揭發我們社會的黑暗面。」這引用的是毛在兩年前的一個講話，其實還是值得肯定的。因為權力絕對化了以後，總會有很多黑暗，這是必然的。直到今天，我們也沒有找到一種很好的有效方式，可以自下而上地揭發社會的種種不公，所以這句話我還是同意的。但林彪接下來又説：「現在我們找到了一個有效的辦法，就是文化大革命。」*

文化大革命一開始就是要自下而上揭發領導的黑暗面，我想，裏面有些揭發的內容並不完全是假的。但問題是隨着運動的深入，各種社會因素混雜進來，局面逐漸失去了控制。毛説：「打倒閻王，解放小鬼。」中宣部成了三個「閻王殿」† 之一。由於歷史所過去受它的直接領導，隨着中宣部的倒臺，歷史所開始內部大亂。

在此以前，黨是絕對的權威，一切都聽黨的領導。這樣倒也簡單，運動一來，無非指定幾個右派或反動派，大家群起而攻之，一起來批判就可以了。比如今天要批誰了，他是甚麼人，大家注意要批他的甚麼、不要批他的甚麼等等，都是按部就班，有秩序、有步驟的進行。可是現在號召大家反對「黨內走資本主義道路的當權派」，矛頭指向黨的各級領導，情況就變得非常複雜了。

* 大意如此。參見林彪：《在中國共產黨第九次全國代表大會上的報告》(1969年4月1日報告，4月14日通過)，《人民日報》1969年4月28日頭版至第五版，引文見第二版。

† 指中宣部、文化部、北京市委。

先是彭(真)、陸(定一)、羅(瑞卿)、楊(尚昆)被揪，陶鑄到學部* 講話時還說：「有三個人是不能動的，偉大領袖毛主席、林副統帥，以及我們敬愛的周總理，這是絕對不能懷疑的。除此以外，我贊成你們可以普遍的轟一轟、燒一燒。」當時陶鑄是第四把手，就是說，包括他自己在內，從他以下都可以燒一燒，公開的號召炮轟黨委，鼓勵造反。所以後來局勢一下子就變得不可收拾了，天下大亂，幾乎全國的每個黨委都受了衝擊。

尹達是歷史所的黨委書記，給他的帽子是「劉少奇在歷史所的代理人」，劉少奇是「叛徒、內奸、工賊」，那麼尹達就是「叛徒、內奸、工賊的代理人」了。可尹達的路線是跟着中宣部走的，中宣部的上面就是陳伯達和康生，順着這根線捋上去，豈不是要反到中央文革自己的頭上？所以文革所造成的混亂就在這裏。

黨委靠邊站，紅衛兵成了革命的骨幹。按照毛的指示，革命不是請客吃飯、不是繡花，要造就造出點氣魄來，「是一個階級推翻一個階級的暴烈的行動」，等於公開地宣揚暴力。

1966年冬天，北航的紅衛兵把彭德懷抓出來遊街，那是我親眼看見的。他那時候已經很老了，大概快七十歲了，被五花大綁着。而且天氣非常之冷，也

* 中國社會科學院前身，原中國科學院哲學社會科學部，簡稱「學部」。

不給他戴帽子，就那麼蓬散着頭髮，背上插一個標——那是封建時代死囚砍頭時候才插的那麼個標，上邊寫着「反革命分子彭德懷」，被一車的紅衛兵押在卡車上遊街。

我不知道彭德懷是甚麼分子，但不管他是甚麼分子，可以治罪、可以判刑。即便犯了罪大惡極的罪過，最多就是判個極刑，怎麼能用侮辱人格的手段，採取這種非常不人道的方式呢？再說了，那麼高的地位，副總理兼國防部部長，讓他遊街？是毛本人不了解這些情形，還是有意這麼搞？我覺得兩個都說不通。如果他有意這樣搞，那太不應該了。如果不是有意的，作為一個最高領導，如此之野蠻的事情怎麼會不過問，而且也不干涉？只能有另外一種解釋，就是當時的權力鬥爭太複雜，實際上他也控制不了。

我不知道文革初期的那種混亂是毛控制不了，還是有意縱容，直到現在我都不清楚。不過我想，用「控制不了」這個說法好像更好一點，也是替他開脫了。

第一個被打死的是北師大女附中的校長卞仲耘，她是三十年代末就投身抗戰的老革命。據傳說，是被紅衛兵的頭頭宋彬彬打死的。* 宋彬彬當年很有名，

* 此一說法流傳甚廣，宋彬彬本人予以否認。作為文革暴力的「符號」，有同情者認為，宋被「妖魔化」，在為紅二代「背黑鍋」。卞仲耘的丈夫王晶垚對記者說：「她沒有參與打人，但她是一夥兒的。」老人從未追究那些打人的女學生，「因為她們都是被利用、唆使的」，九十三歲時發表聲明，拒絕接受師大女附中紅衛兵的「虛偽道歉」。參見馮翔：

毛主席第一次在天安門接見紅衛兵代表，她給領袖佩戴了紅衛兵的袖章。毛主席問她叫甚麼，她說叫宋彬彬，是「文質彬彬」的「彬」。主席說不要文質彬彬，「要武嘛」，所以她就改名叫「宋要武」。文革結束以後，她去了美國，而且入了籍。2007年師大附中九十週年校慶，她竟然當選了母校的榮譽校友，真不可思議。

文革伊始，各地都有死人，成為開國歷史上最為混亂、最為野蠻的一段，實在不像一個近代的文明國家——不要說社會主義國家了，就是資本主義國家都不能這樣。李學勤先生跟我講，中南海旁邊的北京六中鬥得最厲害。學生對老師施酷刑，而且現場錄音，拿回去以後一邊喝酒一邊聽，就像聽音樂一樣。把別人痛苦的哀嚎當作一種樂趣欣賞，怎麼可以這樣？歷史所有一個人叫馬雍，比我年輕，是五十年代北大畢業的。有一次他跟我說：「那時候對你還是很客氣了，你看韓儒林……」韓儒林也是位老先生，在南京大學歷史系，是有名的蒙元史專家。文革時候把他關在一個地窖裏，手和腳都綁住了，吃飯只能像狗一樣趴在那兒。

平常我們說某個人沒有人性，說他「獸性大發」。我倒時常感慨，這真是太貶低野獸了。

〈「我們是那個時代的污點證人」〉、〈王晶垚：「我，沒有忘記歷史」〉、〈「人生怎麼能假設呢？」〉，《南方週末》2014年3月13日第21、27、28版。

動物絕對不會把虐待自己的同類當成一種快樂。比如老虎吃羊，那也很殘忍，但它是受本能的驅使。一旦吃飽了，就對羊不感興趣了，不會說坐在那兒欣賞它流血。可是文革把人性裏最骯髒、最野蠻、最醜陋的一面釋放出來，虐待起人來真是想盡了方法，簡直比獸性還要更低一級。殺張志新時怕她喊口號，就先割了她的喉管，蔣介石當年殺人也沒聽說這麼幹的。《紅燈記》裏，李玉和臨刑時不是還高喊「毛主席萬歲」嗎？都新社會了，怎麼可以這樣？

當時全國的紅衛兵大都分成兩派，反黨委的叫革命造反派，簡稱「造反派」，保黨委的叫無產階級革命派，簡稱「革命派」，也被稱為「保皇派」，雙方打得頭破血流。清華武鬥死了十幾個人，據說文革期間，北大自殺的就快五十了。* 這個比例非常不得了，那全國會有多少？

科學院還好，武鬥並不太厲害，只有學部機關打死了一個人，是個叫馮寶歲的女同志。歷史所算文明的，和別的單位比起來，打得很少，但剃陰陽頭的非常多。還有戴高帽，頭上戴一個紙糊的高帽子，胸前掛牌子，寫着「反革命修正主義分子」、「美蔣特

* 據北大校友、《文革受難者》作者王友琴的統計，北大文革造成了63人死亡，從歷史系教授汪籛(1966.6.11，服敵敵畏)到圖書館系教授王重民(1975.4.16，自縊)，總計48人「自殺」。清華文革造成了58人死亡，據唐少傑教授統計，清華「百日大武鬥」(1968.4.23–7.27)造成了13人死亡，四百多人受傷，三十餘人終身殘疾。

務」或者「走資派」。可讓我不解的是，既然兩派都打着毛澤東的旗號，都信仰毛澤東思想，按理說應該是「同志」了，怎麼反而變成勢不兩立的兩派？好比中國歷史上的爭正統，都說自己是「真儒」，別人是「偽儒」、「俗儒」，這有甚麼意義呢？中世紀基督教各派之爭也是這樣，都是信奉耶穌基督，為甚麼還打得頭破血流？

真正的原教旨主義大概是不存在的，歸根到底都是世俗利益的鬥爭。

文革時候，各種各樣的情況都有。我想有的人是真誠的，但也不乏投機倒把之徒，混雜了各種實際利益在裏邊。比如有的人一貫表現非常好，受到領導的重視，這是他積累的資本。就像做小本生意一樣，領導垮臺等於他十幾年的老本都賠光了，維護領導就等於維護自己，所以他要參加保黨委的一派。相反，造反派的這些人過去往往和領導搞不好關係。甚麼好事兒都輪不上，跟進了勞改隊一樣，淨是苦差使，所以只有把現任領導推翻，他們才有出頭的希望。

這一點毛也很清楚，他說：「平日你們這些人做官當老爺慣了，別人心裏不服氣，現在有機會反你們，這也是好事。」* 絕對權威之下，當然會有人不

* 無從考證。1967年10月12日晚，毛會見阿爾巴尼亞黨政代表團時，談到文化大革命對幹部的衝擊，說：「現在各級政府改組了，這對我們的幹部是一個很大的考驗。薪水多了，官大了，房子住得好了，出門有汽車了，有了這四條他就不革命了，不接近人民群眾，也不接近下級幹部，

滿意，這也有合乎邏輯的一面。而且，凡實際利益的鬥爭，總得打一個冠冕堂皇的旗子，古往今來都是這樣。凡想篡位奪權的，必然宣佈當權者種種十惡不赦的罪狀，然後把自己扮演成為弔民伐罪、「得天下之正」的救星。所以「造反派」和「革命派」在相同的旗幟下，卻爭得個你死我活，也可以說是毛澤東思想本身的破產，讓我感到非常幻滅。

那幾年，單位裏非常之混亂，一切正常的業務全都沒有了。如果你參加了某一個戰鬥隊，那就得每天都來，又寫大字報又宣傳，忙得要死。但也有少數人哪一派都不參加，或者哪一派都不要的，包括我在內——人家不鬥我就是好事，哪有資格鬥別人，所以班也不用上了。

北海西岸挨着老北圖的地方有個小旁門，叫陽澤門，斜對着中南海的福華門，過去很少有人走。每天我就從那裏進去，一個人坐在椅子上躲清靜。無聊了，就回憶年輕時熟悉的幾首歌，像古諾的〈小夜曲〉，還有*Mignon*(《迷娘》)裏的一首歌。那是法國作曲家湯瑪斯的一部歌劇，內容來自歌德小說《威廉．邁斯特的遊學時代》。裏邊有個小故事，講馬戲班的一個小女孩，三四歲時候被拐賣來。但她總有個模糊的印象，隱隱約約地覺得自己來自一個非常美好的地方。於是唱了一首歌，歌詞就是歌德的詩〈你是否知道那個地方？〉。

做官當老爺。對付這些人，我們毫無辦法。這回好，群眾就整他了。」是為旁證，參見《毛澤東年譜(1949–1976)》，第六卷，頁133。

這首歌我年輕的時候就非常喜歡，於是在百無聊賴中低聲唱，好像暫時忘記了當前，又回到另外一個時代的另外一個國度裏去了。有時，我默默背誦《浮士德》中的名句：「如果有一天我看見了這個世界，在自由的大地上生活着自由的人民，那時我就要向奔流的瞬間說：請停留下來吧，你是那樣的美麗！」*

「終古詩人太無賴，苦求樂土向塵寰。」逃避終歸不是辦法，消遣完了，依然要回到現實世界。於是我下決心，把以前想讀而沒機會讀的書找出來，真正在家讀了兩年。這也是我自學生時代以來，真正讀書最多的時期，並且偷偷完成了一些翻譯工作，直到1968年秋工宣隊† 入駐。

2. 工宣隊入駐

1968年秋，工宣隊、軍宣隊進駐歷史所。所有工作人員按照軍事編制分成三四個排，下面是十幾個人一組的若干個班。給我們派來的工宣隊是北京市供電局的工人，按照毛的設想，「工人階級佔領上層建

* 《浮士德》是何老最欣賞的作品之一，視之為「最大的慰藉和精神寄託」，並收藏多種英譯本。文中所提他默默背誦的或為原文，只是出於禮貌，用漢語講與旁人聽。可惜，當筆者意識到這一點的時候，何老已在鮐背之年，常常答非所問難以求證，深以為憾事。

† 全稱「工人毛澤東思想宣傳隊」。在「工人階級必須領導一切」的號令下，1968年7月起，工宣隊、軍宣隊相繼被派到大、中城市的各級各類學校，以及科研院所、新聞出版、劇團、體委、醫院等等機構，掌握實權，紅衛兵組織迅速衰落。但由於他們自身的文化程度低，行左傾路線，淩駕於群眾之上，隨意迫害知識分子，有的手段極其殘忍，造成新的矛盾和混亂。1970年代以後式微，1977年11月全部撤出。

築」，「工人階級必須領導一切」，各級單位就都由工人階級來領導。曾經很多人反對，說「不能外行領導內行」，但那時候的提法是「知識越多越反動」，外行就是要領導內行。

按照我的理解，「外行領導內行」這句話並不錯。不可能每個領導都對具體專業非常精通，包括資產階級領導也是一樣，美國總統不可能甚麼都懂。但是，所謂「領導」並不等於「包辦」。事無巨細甚麼都由他說了算，甚至於文章怎麼寫、我怎麼想都由他決定，成了絕對的權威，這是不可能的。而且那些工宣隊的人講話，總是「我們工人階級如何如何……」，說的時候也是得意洋洋，好像他們是高人一等的選民，別人都是要接受改造的「賤民」，等於人為地把人分為高低兩等。更何況，是不是工人階級的覺悟一定就高？這一點我比較懷疑。

那年冬天，我被宣判為現行反革命，關進了牛棚。所謂「牛棚」並不是養牛的棚子，我們是「牛鬼蛇神」，隨便找個地方關我們，都叫牛棚。

我不知道自己究竟犯了甚麼罪狀，不過當時許多被關的人都是莫名其妙。比如後來和我在一個牛棚的副所長熊德基，審問的時候問他，為甚麼過去和一個特務來往？他說自己是地下黨，需要找一個保護色，大概就因為這個把他關了起來。還有北大52級歷史系的趙健，原來在歷史所的資料室工作，大字報批他「白天是人，晚上是鬼」。大概他心裏不痛快，文革後就出去了，後來做了澳門博物館的館長。一次他應邀來北京，住在北大的勺園賓館——按説勺園賓館是接待外賓的，他大概也算外賓了，我們吃了一次飯。我開玩笑説：「從前你是階下囚，現在成了座上客。」問到底出了甚麼問題關牛棚，他自己也不清楚，而且還關了那麼久。

我是自由散漫慣了的人，不喜歡任何拘束，所以從來不參加任何組織，連文娛組織都不參加。解放前、解放後沒參加過任何黨派，沒搞過真正的政治活動，也自知不是這塊材料。雖然做學生的時候參加了「一二·九」運動、倒孔運動、「一二·一」運動，那只是作為一個普通群眾參加遊行，而且從來都不提，提了就是「給自己塗脂抹粉」。所以我一直都不清楚自己的罪狀，別人交代完問題就解放了，我還得繼續留在「學習班」裏。最可笑的是，看守的人也不知道我犯了甚麼罪狀，説：「工宣隊説了，你説的那個話不能重複，重複就是犯罪。」

後來一直到我們排長——其實就是同事了，但那時候都是軍事編制，他在批鬥會上宣佈，説：「你惡毒地攻擊我們敬愛的江青同志！」這我才想起來。文革開頭的時候，江青總出來講話，我曾經在私下聊天裏説：「江青不必出來，她這種地位，讓別人怎麼説話？」第一，我沒有惡毒攻擊她的意思，甚至於對好朋友也可以這麼説。何況我對她一無所知，只知道她過去是上海的一顆starlet(不很有名氣的演員)。第二，這也是出於對江青的愛護。如果她真聽了我的，大概不至於身敗名裂，不至於最後自殺。

當然，江青不會聽到我的意見，我倒為此進了牛棚。

鬥我的時候非常滑稽，有人説我每天中午帶麵包，「崇洋媚外到了極點」。過去中午都是吃食堂，可是人很多，吃飯總共用不了十分鐘，往往要花半個小時排隊，而且去晚了就沒的吃。我嫌麻煩，每天帶個麵包，這比帶米飯、饅頭還簡單，冷着就能吃，結果被説成「崇洋媚外」。九十年代的時候，我在《參考消息》上有個大發現，説美國總統老布希喜歡吃中餐，經常光顧華盛頓的一家中國飯館，記者還對這家飯館的老闆進行了採訪。照此説來，老布希豈不成了「崇華媚夏」，或者「崇中媚華」？

還有一個人，也是歷史所的，大概比我小一二十歲的樣子。我們並不熟，基本上沒説過話，可是他也起來揭發。説我的外甥來我家，不知甚麼不可告人的原因，我把他轟了出去，不讓進門。當時我就想，你們可都是歷史學家 ，依據事實是最起碼的，怎麼能隨便造謠？我的外甥就在北京，活人在場都不去取證，那些死了幾百年、幾千年的事情，你説的能靠得住？這個人現在在歷史所也成了博導、學術委員，有時候我想，這種信口開河的人能實事求是，帶出好博士？所以我們的學風非常之敗壞，恐怕跟過去的習慣作風有關，胡編亂造都成傳統了。

在最近出版的《顧頡剛日記》裏，我又有一個新發現。顧先生有寫日記的習慣，中國過去很多舊學者都有這個習慣，雖然寫得很簡單，但每天都很忠實地記錄。文革時候抄出他的日記，於是設立專案組進行大批判，「揭發反共老手顧頡剛的真面目」。可是他還繼續寫，一直到1980年去世。2007年，臺灣聯經出版了顧先生的日記，總共十二大本，作為史料是非常珍貴的。歷史所也有一套，據説裏面提到過我，請人借來一閱，果然。當然他寫得很簡單，不但記錄自己的，而且批鬥別人，他也記。比如王毓銓先生，他是抗戰以前的老北大學生，參加過一個托派組織，於是顧先生的日記裏就寫「某月某日批鬥托派分子王毓銓」。提到我的地方也很簡單，「某月某日批鬥何某某的反動思想」，僅此而已，不添加任何的評論。我統計了一下，總共記錄了批鬥我十一次。

不過那時候把我揪出來，我倒佔了兩個便宜。第一，假如運動一開頭就整我，我會受不了的。可是等到鬥我的時候，那些年紀比我大的幾乎無一漏網全都被揪出來了，包括所長侯外廬先生，差不多有四五十人。我不過是跟在最後的一個，算是小蘿蔔頭，也就無所謂了。第二，戴了帽子以後就不是「革命群眾」了，被「打入另冊」，沒有資格參加鬥「五一六」*

* 在毛澤東的造反號召下，1967年3–8月間，北京高校極左學生組織了「首都五一六紅衛兵團」，秘密策反，矛頭直指周恩來等。雖人數不多，但毛極為震怒，旋即鎮壓。1970年，中共在全國展開「清查五一六運動」，以莫須有罪名，數百萬無辜者遭迫害。直到1974年，全部不了了之。

的群眾革命運動，只能到勞改隊勞動，這對我非常有利。

勞動無非多出點汗，晚上用水沖一沖就完事了。可是如果去參加鬥爭，被鬥的自然不用說，就是去鬥人家，至少精神上也很痛苦。不但從早上到深夜陪着坐一天，還得發言表態。往往那些被鬥爭的人，我對他一點兒都不了解，要我說甚麼呢？我怎麼會知道他是不是反革命？他要真是反革命，他會對我說「我要幹甚麼甚麼壞事」？所以我倒覺得因禍得福，煉獄(purgatory)大概要比地獄更難受，還不如去勞動，落得個耳根清淨。

平時也有人審問我們，特別是外調，有時也挺有意思的。那些外調的人最希望的就是撈些過硬的材料，比如調查出某某人是特務、殺過人等等。所以總是氣勢洶洶，可結果往往又大失所望。

「某某人你認得嗎？」

我說認得。

「你們甚麼關係?!」

我說我們是同班同學。

「他是美蔣特務你知道嗎？」

我說，我不知道。

「你們是同學，你怎麼會不知道?!」

我覺得這真是荒唐，簡直一點常識都沒有。即便他是了，他能告訴我嗎，說「我是美蔣特務」，或者

「今天我把聞一多刺了，是我開的槍」？特務也有特務的紀律，不但對朋友、妻子、父母不能隨便說，就是特務和特務之間也有保密。那些審查的人想法都太簡單，以為特務都在臉上掛個牌子「廣而告之」。包括咱們的電影裏也是，一演特務就賊眉鼠眼、歪戴着帽子，讓人一看就知道不是好人，那還叫特務？

還有一次外調給我的印象非常深，是調查一個我中學同學。因為畢業以後我們就沒聯繫了，問到最後，我說：「他現在在哪裏？」那個人哼着氣，說：「這個，你不要問。」就是說，我是被審判的，我沒有權利問他，只能他問我。最有意思的，他張嘴閉嘴就「你們偽中央大學如何如何……」，等問完了，我倒是補充了一點，說：「你剛才說的我想明確一下，不然會造成誤會。當時有兩個中央大學，汪精衛組織的偽政府在南京有個中央大學，可是原來的那個中央大學搬到重慶去了。我上的中學是在重慶的中央大學附中，一般當時都認為那是真中央大學，留在南京的那個才叫『偽中央大學』。」好比我在昆明上西南聯大，北大是其中之一，我們認為這是真北大。當時北京也有一個北京大學，周作人做校長，* 那才是「偽北京大學」，這是兩個學校。我說：「你要說我們是『偽中央大學附中』，我也不反對，但你得註明是重

* 此處有誤。1937年盧溝橋事變後，周作人留守北平，受北大校長蔣夢麟之託看守校產，1939–1945年出任汪精衛政權的若干職務，包括北大文學院院長。同時期的北大校長先後為湯爾和、錢稻孫。

慶的中央大學，不然會產生誤會。」還好，後來他把這個「偽」字給省掉了。

我和歷史所朱家源先生非常熟，他是35級的老清華。很多年以後談起這件事，我說：「他怎麼老加一個『偽』字？這表明他革命覺悟高，還是怎麼回事？」朱老先生跟我開玩笑，說：「哦，照他這麼說，毛澤東就是『偽北京大學』的『偽職員』嘍？」讓他這麼一說，我覺得特別好笑。

3. 誰是「五一六」？

陸陸續續，歷史所差不多有三分之一的人戴了各種名目的帽子，都被當作「牛鬼蛇神」關在牛棚裏。第一批是「走資派」，黨委書記尹達、副所長侯外廬、熊德基先生都在其中，叫作「黑幫」。第二批是揪歷史反革命和資產階級反動權威，基本上凡有高級職稱的都是資產階級反動權威。第三批是「單幹戶」，我是其中一個。雖然我沒參加過歷史所的任何組織、任何活動，那也跑不了。

然後就是抓「五一六」反革命陰謀集團，這可比「單幹戶」的罪過大多了，成了工宣隊、軍宣隊的主要任務，長達四五年之久。鬥起來聲震屋瓦，大字報鋪天蓋地，每一張都氣勢洶洶。給我印象最深的是，其中有一張寫着：「某某某，你趕快投降，否則死路一條！」義正辭嚴，好像他是主持公道的一樣。沒想到一個小時後，又有一張大字報貼出來，針對着貼上一份大字報的那個人，說：「某某某，你倆不要演雙簧，你這個『五一六』也跑不了！」搞得我真是目瞪口呆，不知道誰是真、誰是假。

前前後後，歷史所不到兩百人，抓起的「五一六」得有三分之一強，大部分都是二十幾歲剛畢業的大學生。文革開頭他們很多是造反派，戴着紅袖標也挺神氣的，可是後來都成了反革命陰謀集團。

記得有個叫L的青年，工宣隊剛剛進駐的時候第一場是「憶苦思甜」，找他去做典型報告。上去說家裏怎麼苦怎麼苦，一邊說一邊痛哭流涕，讓我們都覺得這個人非常值得同情，不久他做了排長。可是沒過幾天，第二場開始了，抓「五一六」。連長出來宣佈，說L是個「五一六」，這人簡直壞透了！我想那時候很多人，包括我在內，一是思想麻木，好壞都無所謂了，另外就是非常奇怪：既然當初樹了他做標兵，就表示他是非常好的，為甚麼一翻臉又成了反革命？

而且有一點，我到現在都非常不明白。文革一開始，上面先是依靠紅衛兵打倒了一批老革命當權派，後來又把那批革命小將全都收拾了，那麼政權究竟要靠甚麼力量來支持呢？歷史所號稱「紅旗單位」，居然有將近一半的人參加了這個反革命陰謀集團。我們研究室總共十幾個人，只有五個不是，這比舊社會國民黨來抓共產黨的那個百分比還厲害。

在此之前，因為我已經進了牛棚，所以我不是「五一六」，不然也跑不了。最可笑的是，後來人手不夠，就讓我們這些「老反革命」監督那些「小反革命」，不許他們出來，讓我和王毓銓老先生天天抬一個大筐，給他們送飯去。那時候我們都是集中住宿，晚上不許回家，在幾個辦公室裏打地鋪。我們那間比較大，住了四五十人。有一天晚上我從鍋爐房勞動回來，發現屋子裏其他人都不見了，燈光昏暗，只有三個人坐在那兒一動不動。不講話、不學習，也不看書看報，參禪一樣瞪眼乾坐着，幹甚麼呢？而且一連一個多月，天天如此，這就非常奇怪了。當然我也不好和他們說話，畢竟我也戴着反革命的帽子，何況一天勞動完了也挺累的。於是我就躺在床上休息，四個人各把一個牆角，一言不發。

過了幾天，工宣隊鄭師傅來視察，在屋裏轉一個圈，然後把我叫出來，說：「給你個任務，密切注意這幾個『五一六』的動向，有甚麼情況馬上彙報。」這下我恍然大悟，原來他們都是「五一六」，趕緊滿口答應。可越想越奇怪：我是反革命，怎麼用一個反革命監督那幾個反革命？其中有兩位正是過去批過我的，真可謂天道恢恢，敢情這二位歷史學家也是「五一六」？而且，既然讓我監視他們，可見他們的罪過比我的還要大。

五代的時候有個人物叫馮道，做了五朝元老，每次改朝換代都有他的官做，自封「長樂老」。文革時候也是，至少每個當權的人都希望做「長樂老」。可問題是局勢變化太快，「你方唱罷我登場」。今天你在臺上，明天就是階下囚，今天我是反革命，明天就可以監督你們這些小反革命。包括中央文革在內，有的一兩年、兩三年、甚至幾個月之內就下臺了，走馬燈一樣不停的輪換，這也是文革最令人目瞪口呆的一面了。

文革很多蓋子都沒有揭開，「五一六」到底是怎麼回事，我到現在也弄不清楚。一開頭大概是要培養一批革命小將，各個地方的紅衛兵都去衝擊當權派，幾乎所有的領導都成了「走資派」。可是後來不知為甚麼，又把這些造反派都給收拾了，包括聶元梓、蒯大富這些有名的紅衛兵頭領。至此，老幹部也打倒了，紅衛兵也打倒了。「牛鬼蛇神」三分之一，「五一六」三分之一，前後算下來，歷史所竟然有三分之二都是反革命？真正的革命群眾只剩下三分之一了。

這個數字本身就很滑稽，革命的是少數，反革命成了大多數。如果真正按照民主原則的話，應該是反革命上臺才對，政權究竟依靠甚麼力量來支持呢？

我的妹夫肖前在人民大學哲學系，70年代末有一次見面，我說：「馬列主義是科學，科學允許有誤差，比如百分之一、千分之一，但怎麼能誤差百分之八九十？比如全國五十五萬右派，最後只剩下五個，* 怎會差這麼多？還有那些『五一六』，加起來總得有

* 據中共中央公佈的資料，1957、58年共劃右派55萬人，1978年後「一風吹」(即一筆勾銷)，只有極少數人未予平反。其中中央級五人，即所謂的「五大右派」，分別為章伯鈞、羅隆基、彭文應、儲安平、陳仁炳。

好幾百萬。」他的警惕性很高，非常正經的說：「話不能這麼講。我們是初級階段，還在摸索，錯誤是不可避免的……」雖然文革時候把他也整的很慘，但他依然這麼認識。

當然，後來這些「五一六」又全不是了，據說根本就沒這麼一個陰謀集團。不過當初，只要把你揪出來，你就非得承認不可，不承認是沒有用的。

歷史所資料室有位老太太叫李福曼，她是梁啟超的兒媳、梁思永的夫人。她的姑姑李蕙仙嫁給了梁啟超，所以她們是姑侄兩人嫁給父子倆。1970年下幹校的時候，我和李福曼在一個班。那時她已經六十多歲了，行動都不太方便，可還把她下放到幹校勞動，我覺得不應該。我比她小十四歲，還能幹點體力活，所以常常幫她幹，她也對我挺好的。前幾年我去看她，她已經九十四歲了，不過記性還好。跟我說：一開始抓「五一六」的時候，一個和她很熟的女同志劉坤一私下裏對她講：「你可千萬不能承認自己是『五一六』啊。」李福曼說：「我當然不承認，我怎麼會是『五一六』呢？」

後來開大會，叫作「動員」，動員那些反革命自己承認。最後工宣隊的人宣佈，說：「你們這些『五一六』，還是爭取主動的好。現在，就自己站出來！！」當時就有好幾個人站起來，她也跟着起來了，等於承認了自己是「五一六」。李福曼跟我說：

「我也不知為甚麼，聽到之後就站了起來。」其實也挺容易理解，他們是來專你政的，說甚麼就是甚麼，難道你還敢反抗嗎？她一個老太太，特別像她那種世家出身的，還去參加反革命陰謀集團？簡直是不可能的事情。

按理說，歷史所幾十年，結果培養出一半多的反革命，領導應該負有極大的責任。可是從來也不追問，反倒成了他的政績，這是很荒唐的。最讓我感到奇怪的是，那些工宣隊的人抓的越多越洋洋得意，這一點非常讓人難以理解。

比如說我是一個領導，要抓貪污分子。假如我的單位裏沒有貪污，我應該感到很安慰。可是不行，階級鬥爭是普遍存在的，你這兒是世外桃源？不可能，所以就抓。抓個百分之一不行，人家都抓百分之二十，你怎麼能抓百分之一？結果人數越來越多，而且貪污數目越大，他就越高興。五塊、十塊的不行，幾百、幾十的不行，怎麼也得上萬字號。如果還不滿意，那就上十萬字號、百萬字號。其實應該反過來，最好是沒有人貪污，沒有人是反革命，這樣心裏才安慰。可是沒人貪污，他心裏卻不高興，數目越多越高興，這到底是一種甚麼心態？是一種革命的心態，還是反革命的心態呢？怎麼能反革命越多，心裏就越高興呢？

不坦白從重、坦白從輕，結果那些坦白的人越說越離譜。有個青年叫G，交代說自己炮製了赫魯曉夫式的秘密報告，畫好了一張中南海的地圖，準備挖地道，進中南海施行暴動。這簡直是天方夜譚，哪有那麼大的本事？可是工宣隊的人認為這個坦白得非常好，樹立標兵，把他叫到大會上坦白，號召其他的「五一六」向他學習。這個人也很會表演，一邊哭一邊說，真不知是一種甚麼感情在支配他和他們。到底是一種革命的感情，還是反革命的感情？

如果我是一個真正的革命者，聽了我會很難過的。

4.「好漢不吃眼前虧」

鄧廣銘先生九十歲去世後，北大有個紀念活動。我看到一篇文，說文革結束以後，鄧先生有一次在系裏邊談話，坦言道：「老實說，文革的時候我沒有受很大的苦。」為甚麼呢？「因為我的原則是『好漢不吃眼前虧』。」我想，鄧先生的話有道理，也是事實。好比黑夜裏受了搶劫，你是把錢包交給他，還是鬥爭到底？鬥爭到底固然很英勇，可是我覺得，把錢包交出來也不失為明智之舉，何必一定要挨那一刀呢？但我也知道，確實有人是寧死也不肯承認的。學部機關有一位女同志叫馮寶歲，不肯承認自己是「五一六」，於是就打。打也不承認，就再打，最後給活活打死了。

歷史所總共不到兩百人，大概有五六個自殺，或者更多一點，因為有的是自殺未遂。比如孫毓棠開煤氣自殺，被人發現了送到醫院。最後人救活了，可是有一條胳膊的神經被永遠麻痺，再不能動。

我們研究室的楊超，在我的印象中這個人很優秀，為人也好、學問也好，而且非常聰明好學。抓「五一六」的時候他不承認，第一次吃藥被人發現了，結果又第二次自殺。我聽説，一個人自殺一次以後很少想再犯的，可是他居然有那麼大的毅力第二次自殺。臨走的時候留下一份遺書，説：「我不是『五一六』，我不知道誰是『五一六』。」那一定是逼他交代別人，他受不了了，自殺。這次沒來得及發現，於是死掉了。我們室有個人，後來提起他時就説：「這個死反革命……」我心想：「你和他每天都在一起，明明知道他不是反革命，這種話怎麼説得出口？」

文革後，我想有人是真誠懺悔的。比如周揚，還有人民文學出版社的韋君宜寫《思痛錄》，我想他們是真誠的。可有的人本來就是左右逢源隨風倒，跟做生意發財一樣，哪裏有油水就往哪邊靠，這些人是沒有原則的。比如前面説了，批我的時候有一條過硬的罪狀，叫作「惡毒地攻擊我們敬愛的江青同志」。這是我們的排長在大會上宣佈的，我以為他一定非常敬愛江青同志了。沒想到「四人幫」剛一倒臺，歷史所第一個跳出來貼大字報的就是他，反對「四人幫」、反對江青，大罵歷史所的領導為甚麼反江青一點都不着力等等，那才真是「惡毒的攻擊」。此後，這位排長仍然飛黃騰達，不可一世。

再比如，現在出了本書，叫《無罪流放》，記錄了當年知識分子如何挨整等等的事情，包括俞平伯、錢鍾書、謝國楨、盧之味等等這些名人。其中也有我們那位排長的一篇大文，寫得非常動人，好像很同情那些被整的知識分子似的，其實就他整人整得最兇了。

但歷史就是這樣寫成的，這一點讓我覺得非常幻滅。有些人在哪朝哪代都可以福運亨通，可是像楊超，這麼正直、優秀的人卻早早地走了。擇劣汰優，這還符合自然的規律嗎？簡直是歷史的反淘汰。

當然我覺得，有些事也不必太苛求。比如，北大的余杰寫了一篇文〈某某人，你為何不懺悔〉，* 因為某某人當年也是大批判組的成員，所以他應該懺悔。我想，有些人在過去的確幹了過分的事情。但在那種形勢下，叫你來，你還能不識抬舉？何況我們這些沒受抬舉的人，又比他們高明多少？

比如文革時候，每天都要敬祝領袖「萬壽無疆，萬壽無疆」、「永遠健康，永遠健康」，一天敬祝好幾遍。可是，人怎麼可能永遠健康？有的人還給個解釋，說這是「祝願」，不過這種說法也經不住推敲。人只能祝願那可能的事情，比如祝你健康、祝你長壽，願你多活幾年，這都是可能的，但我不能祝願永遠不死。難道我們能祝願2＋2＝5，或者祝願太陽從

---

* 2000年初，余杰公開發表了批判文章〈余秋雨，你為何不懺悔〉，引起文化界的軒然大波。

西邊出來？同樣，你又怎麼能祝願一個人萬壽無疆、永遠健康？毛在「老三篇」裏也說過「人總是要死的……」，死了還健康甚麼？所以我們都說了假話，而且天天在說，一天不知說多少遍。如果嚴格要求的話，我們都應該懺悔。

記得有一次批個「五一六」分子，開會之前組長宣佈：「這是一場嚴肅的階級鬥爭，是向毛主席和黨中央表忠心，每個人都得表態。」大家都表態，那麼我也得表態。其實我根本就不了解這個「五一六」，平時沒有任何交往，我怎麼會知道他是不是反革命？歷史上有個「左袒」、「右袒」的典故。漢初反對呂后專政，太尉周勃對兵士說：「你們擁護姓呂的，就把右臂露出來！擁護姓劉的，就把左臂露出來！」於是，大家紛紛捋胳膊挽袖子。文革時候也一樣，好在我不是積極分子，前面的人表完了態，我揀幾句照說一遍完事。當然我也覺得對不住他，心裏很抱歉，但願他也不會記恨我。

現在，有兩個人的回憶錄大家意見很大。一位是周一良先生，大家覺得他輕描淡寫，一句「畢竟是書生」就把一切都遮過去了。不過我有點不同的看法。第一，在那種壓力之下，不能要求每個人都頂得住，不能過於苛責。第二，我覺得周先生的回憶錄是真誠的，但他只能覺悟到那一步，我們不能超高標準的要求他。另一位是馮友蘭先生。

馮先生只在書裏承認自己違背了古人「修辭立其誠」的原則，避重就輕一筆帶過。這種檢討放在過去叫「蒙混過關」，所以很多人不滿意。馮先生做過梁效寫作班子的顧問，「四人幫」倒臺後，《歷史研究》上有一篇文章〈評梁效某顧問〉，* 說的就是馮友蘭。以馮先生的學識、地位及經歷，很多內幕不會完全不知道，有些事情完全可以不必做，比如主動寫一些吹捧女皇的詠史詩。這和形勢所迫不一樣，因為並沒有人強迫你非做不可，可是他對這些都沒有很好地檢討。

我倒是同意一種說法，倫理、道德應該有一個底線。比如不能胡編亂造，不能給別人造謠，這個底線不能突破。但是在這之上，受一些屈辱、說一些假話，不得已而為之，不能算是大錯。

1959年，我們到河北盧龍縣搞縣史。那是個很規整的小縣城，東、西、南、北四個城門都在。據當地老人回憶，日本人佔領時期，四個城門都有日本兵把守。凡是中國人進出，都得向日本人鞠大躬，不然馬上就是一刺刀。我想，假如是個共產黨員，一個無產階級的革命戰士，他在出城的時候也得面臨同樣的選擇：你是昂首揚頭走過去，還是向侵略者鞠躬？是不是一定要堅持原則，乃至到了愚蠢的地步？恐怕，大部分人還是不願白挨那一刀。所以我覺得，這種不得

* 王永江、陳啟偉：〈評梁效某顧問〉，《歷史研究》1977年第4期；〈再評梁效某顧問〉，《哲學研究》1978年第3期。

不鞠的躬，應該也不算甚麼大錯誤，總不能要求每個人都寧死不屈。

道德應該有個底線，我們應該用崇高的道德鼓勵自己。但不能把它作為標準，用崇高的道德要求每一個人。

歷史所三十年・下

1. 幹校「滾泥巴」

文革的時候有一句非常有名的口號，是康生提的，讓搞社會科學的都要下去「滾一身泥巴」。這個口號喊得非常響，所以從1968年到1972年，學部各個研究所紛紛下幹校。歷史所下去的比較晚，直到1969年深秋才走。除非是最特殊的情況，比如侯先生癱瘓去不了，顧頡剛快八十歲了，身體又不好，照顧他沒有走。除此以外，所有人通通下去，一待又是兩年。

學部大概有兩千人，全部下到河南信陽的息縣，離信陽有一百多里地，下了火車還得坐一段汽車。信陽專區共有三十多個幹校，中國社會科學院只是其中之一，住在明港軍事學校的幾個兵營裏。規定東邊不許到哪裏，西邊不許到哪裏，南邊、北邊的界線在哪裏，基本不出一百米的範圍，全部軍事管制。哲學所、歷史所、經濟所、文學所等等各自成為一個連，下面再分成幾個排，連長、排長都是各研究所裏政治表現最積極的人物。

幹校生活很簡單，首先是勞動，挖溝、耪地、搬磚之類。而且，只要是幹重活、出身汗就是革命的，根本不考慮效益。比如今天讓挖溝，那我們就去挖溝，過兩天又讓填上，那就再填上。勞動就是一切，目的是沒有的。一直到文革結束，我們的經濟始終都沒有上去，糟就糟在這上面。

十三天歇一天，叫「大禮拜」，除此以外每天都挺忙活。白天在地頭上勞動，幹兩個小時歇一刻鐘，不過這一刻鐘也不安生，時常就變成了「革命的休息」。所謂「革命的休息」就是不休息，包括過春節，「過一個革命的春節」意思就是不放假。幹了半天活，大家都挺累的，還要揪出個「五一六」分子，大家一起鬥一鬥。有一次揭發M，這我才知道，抄他家的時候他想跑，身上揣着自己寫的兩本書和四千塊錢。當時這個錢就很多了，大概相當於現在二十倍都不止。於是紅衛兵就罵他，說：「身上帶這麼多錢，還揣着兩本大毒草，你要幹甚麼？」話中帶話，就是說他要叛國投敵。可惜M沒那個膽量，還跑到工宣隊一個勁的想下跪，意思就是「你救救我」。這些事都是我在「革命的休息」裏才知道的。

「革命、生產兩不誤」，一邊勞動，一邊抓「五一六」，這是每天晚上的必修課。楊絳寫過一本《幹校六記》，不過我覺得，她寫得帶有點牧歌式的田園氣氛，好像生活無憂無慮一樣，其實下去以後鬥爭非常殘酷。

外文所抓出個「五一六」，是個瘸子，於是他上吊自殺了。瘸子怎麼上吊呢？我不知道。歷史所有一位老先生叫趙幼文，四川人，眼睛近視得厲害，身體也不好。我們下鄉勞動的時候，每天給他的活兒是抄大字報，彎着腰，一站就是好幾個小時。有一次我在旁邊看，開玩笑説：「趙老，您這個工作好啊，還能天天練書法。」他説：「好甚麼呀，天天緊張的不得了，一個字都不敢錯。」我知道北京圖書館有個人就是這樣，把「千萬不要忘記階級鬥爭」的最高指示漏了一個「不」字，被鬥個死去活來。還有一個人，把「中國共產黨」的「中」字第一筆寫歪了一點，被人看成像個「牛」，也被整得很慘。

中世紀修道院有一個口號叫「勞動和祈禱」，我們在幹校的時候也是這樣，除了勞動就是祈禱、悔罪、背語錄。

「毛澤東同志是當代最偉大的馬克思列寧主義者。毛澤東同志天才地、創造性地、全面地繼承、捍衛和發展了馬克思列寧主義，把馬克思列寧主義提高到一個嶄新的階段。……」那是林彪為《毛主席語錄》寫的〈再版前言〉，每天都要背，所以到現在我都能背得一字不差，而且還會唱。* 每天早上「早請示」，晚上「晚彙報」，「敬祝毛主席萬壽無疆，萬壽無疆！」「敬祝林副主席永遠健康，永遠健康！」且不説這句話的合理性，就是夫妻兩個人的感情很

* 〈《毛澤東語錄》再版前言〉由軍旅作曲家婁生茂譜曲，文革中詞最長的語錄歌。

好，也不必發誓賭咒一樣早晚各說一遍「我愛你，我愛你，我怎麼怎麼地愛你。」相反，這樣做就會變得很虛偽。

1971年秋，那天的上午還一切如常，和平時沒甚麼兩樣。可是到了下午，突然傳達指示，說林賊如何如何壞、如何如何搞政變，全天下的選美女，* 簡直臭不可聞。「林賊」是誰？我不知道，聽來聽去終於明白了：「林賊」就是林彪！上午還在背他的〈再版前言〉，主席臺上「誓死保衛毛主席」、「誓死保衛林副主席」的橫幅還沒來得及拆，怎麼就成了「賊」？回去之後，按規矩每個人都要談認識。最記得我們那位排長，說：「哎呀，想不到啊，想不到。怎麼會出這種事情？……哎呀，飯都吃不下去呀，覺都睡不着。」可是後來吃飯的時候，我看他飯一點兒也不少吃，回去倒床上就睡了，完全無動於衷。

我想，如果一個真正信仰某種宗教的人，比如基督徒，要是有一天發現自己所信仰的不是耶和華，而是撒旦，是個魔鬼，他將如何向自己的良心交代？再比如兩個人相愛，上午還在海誓山盟，下午卻發現他是個騙子，原來愛的是別人，弄不好她會精神崩潰的。可我們這位排長呢？照吃、照睡全不誤。從好的方面講，你可以說中國人的神經極其健全，任何打擊都可以承受，雖然歷盡苦難，依然能夠成為世界上最

* 疑指葉群(林妻)為其子林立果擇選女友之事。

偉大的民族。但也可以反過來說，中國人的思想非常之麻木不仁，甚麼都無所謂了。

下幹校畢竟有許多重體力勞動，過去男同志的糧食定量在三十斤左右，後來給增加了一點。從34到42斤之間分成五等，包括年齡、級別、健康狀況等等因素都考慮進去，甚至是不是「五一六」也影響你的口糧定量。現在我們可以有的吃，不在乎那幾斤幾兩，可是在那個時候，每一兩糧食都是珍貴的。記得有個年輕人身體非常好，力氣也大，甚麼重活都派他去，可是才給定38斤的標準。他就抗議，說：「你不讓42斤的去，幹嘛老讓我38斤的去？」我那時候五十歲了，定了每月36斤的標準吃不了，剩下的糧票就給了他們年輕人。

餓是經常有的，特別是沒油水。所以每到放大禮拜假的時候，我們常常就去縣裏的「包信集」。二三十里路來回要花四五個小時，不買別的，專為吃油條。有一次我和朱家源、何高濟約好了一起趕集，又不敢一起走，怕被發現了說我們是「小集團」。於是仨人約好了公路見面，假裝是碰見的，然後再一起走。一走走了兩個多小時，淨聊些不着邊際的話題。

何高濟說：「『好萊塢』這個詞翻譯的好，一聽就吸引人。」我說：「香港翻成『荷里活』，大概是廣東音。解放前，北京和上海的翻法有很多不一樣，比如北京翻成『賈波林』，上海叫『卓別林』。還有一個女演員很出名的，叫Norma Shearer，北京譯作

『薛愛梨』，上海譯作『瑙瑪·希拉』……」朱家源是位老先生，三十年代的老清華，跟我們講清華的體育。說張齡佳是十項全能的全國冠軍，還有後來的臺灣經濟部長張光世，他們是同班同學，過去都是運動員。一路扯東扯西，誰也不提傷心事，誰也不去發牢騷，聊的都是甚麼好吃、甚麼好玩，相當於一次relax(放鬆)。到集市總得有十一二點了，別的吃食也沒有，只有兩個攤位賣炸油條。不過我們吃得也很美，而且不貴。吃飽了油條到旁邊茶館裏要壺茶，一聊聊到下午兩三點，再磨磨蹭蹭走回來，到了幹校接着吃晚飯。

快樂總是相對的。如果現在讓我走二十里地就為吃根油條，我會覺得一點意思都沒有。不過在當時的條件下，這就是最大的快樂了。

我和朱家源、何高濟平日裏比較要好，但在那種大環境下，就是再要好的朋友間也不敢隨便交心。有句話叫作「不知為妙」，免得給彼此找麻煩。朱先生比我大十幾歲，他的弟弟是有名的文物學家朱家溍。他們家過去是大官僚家庭，高祖朱鳳標是大學士。民國時候，他父親買了蒙古王僧格林沁的王府，雖然到他那一輩已經很破舊了，其實要收拾一下是很好的房子。一年冬天，朱先生一個人在家，走到院子裏摔了一跤，並不是非常要緊的。但那時候他已經九十三歲了，自己爬不起來，一躺躺了兩個多小時，最後等於是給凍死的，非常不幸。

朱先生學問很好，心態也平和。雖然一生未被重視，臨死還是個副研究員，他倒無所謂，從來不在乎這些。他家裏有很多珍貴的東西，藏書非常名貴、非常多，僅此一項，當時折成人民幣就得幾十萬。文革後全部捐獻，但似乎只發了他們一個獎狀。而且，朱先生跟我講過一件事情，我想是真的。文革後期，我們的副連長找他問一本書，是南宋宋慈的《洗冤集錄》。這是中國最早的法醫教科書，包括如何驗傷、驗屍、驗毒等等，朱先生很詳細的給他介紹了兩個小時。結果我們的副連長把這些內容整理成一篇文章發表，但只署了自己的名字。這對朱先生是很不公平的。

像他這樣的人在所裏還有幾位，比如冒懷辛。他是明末四公子之一冒辟疆的後代，學問非常好，始終沒有評上研究員。可惜我們並沒有一個公平的體制，讓那些真正有學問的人受到重視。反而是一些學問、品質不怎麼樣，卻能說會道、左右逢源的人扶搖直上了。

林彪事件是文革的一個大轉折。我們的林副統率一貫紅旗舉得最高、跟得最緊，是我們「最理想的接班人」，這都寫進了黨章。記得《人民日報》有過一個訪問，看看各方面的反應，其中有一段訪問一位老勞模，他說：「有了這樣的接班人，我們工人階級就放心了。」* 後來林彪一出事，給全國人民一個大驚

* 1969年4月15日《人民日報》發表新聞公告，宣佈林彪成為接班人。各界紛紛發文歡呼，「林彪同志作毛主席的接班人是全國人民的意願」，

詫，這回誰都不能放心了。

最後一個神話破滅了，號稱革命的也未必是革命的，實在分不清誰是真的、誰是假的。

記得有一次，軍宣隊的人在我們組裏發牢騷，說：「我們現在也不好辦，你們都知道……」思想支柱一下子垮掉，工宣隊、軍宣隊都癱瘓了，運動就沒法繼續。這倒也好，沒人管我們了。有一次我見一個熟人去看病，問他：「你怎麼不舒服？」他說：「沒有不舒服，就是出來走走，調劑一下生活。」反正看病不要錢，隨便找個理由要點藥，等於出來散散步。有的人做個煤油爐子，自己燒飯吃，後來大家都覺得好，紛紛效仿。還有幾個人做了魚竿天天往河邊溜達，總之各自找點事情做，打發時間。當然也有像李澤厚這樣，偷着認真讀兩本書，他後來的那部著作《批判哲學的批判》，就是從那個時期開始起步的。

我是帶了兩本英文小說，其中之一是《鴛夢重溫》(*Random Harvest*)，感覺好極了。另外，我還有各種外文本的《毛主席語錄》，除了英、法、德文本外，還有意大利、西班牙文本的。凡是外文書店有的我都買過，總得有七八種，閒來無事，就對照着翻一翻。比如《語錄》裏說，帝國主義「日薄西山，氣息

「是毛主席最好的接班人」，「一萬個贊成，一萬個擁護」，是「我們子孫萬代最大的幸福」，「從根本上保證了黨不變修、國不變色」等等。類似於「有了這樣的接班人，我們就放心了」的說法，是頌揚無產階級革命後繼有人的一種套話，屢見報端。

奄奄」，只有無產階級革命事業「正以排山倒海之勢，雷霆萬鈞之力，磅礴於全世界，而葆其美妙之青春。」我就對着中文本，看看人家是怎麼翻譯的。像「以排山倒海之勢，雷霆萬鈞之力」，英文本譯成「以一個雪崩(avalanche)的動力」，可謂減字解經，挺有意思的。

1971年，照顧少數幾個特別有名的老人，特批他們先回來，有錢鍾書、吳世昌等等。後來傳說「五一六」要「一風吹」，* 快回北京了。朱先生私下裏開玩笑，說：「甚麼時候把我們當一個『屁』，給放回去算了。」那段日子人心浮動，我們的連長還闢謠說：「沒有的事！你們這些『五一六』的問題搞不清楚，永遠都別想回北京！」可是沒想到，「五一六」問題還沒解決，就真的又回北京了。而且直到文革結束，真就「一風吹」，全平反了。

2. 1972–1976

文革以林彪事件為分界，前後有很大的不同。我相信，文革初期有些人是真正相信的。比如有個人從哲學所的樓上跳下來，手裏舉着小紅書，† 高呼「毛主席萬歲」。我想這樣的人是真誠的，也可以說是效了愚忠。但是林彪出事後，假相等於被戳破了一樣，就

---

* 「一風吹」即「大風吹過，都不作數了」。對數以百萬計的所謂「五一六」分子不追究、不平反，至今沒有一個說法，全都不了了之了。

† 即《毛主席語錄》，也稱「紅寶書」。

不再有人當真。雖然形式上還是每天集中學習，但大家都知道跟做戲一樣。

1972年夏天，正是最熱的時候，我們全部回了北京。緊接着，軍宣隊撤出歷史所，結束了為期四年的領導。歷史所群龍無首，幾近無政府狀態。不過至少有個好處，逐漸恢復了正常的業務工作，而且對有些人來講還有相當大的自由度，可以做自己想做的事了。

所裏幾個人合作寫了一部《中國思想史綱》，還是由侯先生領銜，下面署了張豈之、李學勤、楊超、林英等等八個執筆人的名字，我也在其中。另外，我們組裏還有三個年輕人沒摘「五一六」的帽子，不讓參加《史綱》的編寫。他們不服氣，說：「憑甚麼我們不能搞？」於是聯合起來也要寫一部《中國思想發展史》。因為我和他們的關係不錯，就把我也拉進去。後來這本書真的出版了，其實我寫的內容最少，或許是年紀最大的緣故吧，他們把我的名字署在了最前面。後來，外文出版社邀我把此書譯成英文，埃及學者又把英文本譯為阿拉伯文。

1972年有一件大事，尼克松訪華，中美關係逐漸緩和。海外關係不再像以前那樣看得緊，我在美國的姐姐不知通過甚麼途徑和我聯繫上了，於是我們又恢復了通信。那時候，我還得把她的信交給人事處看。人事處告訴我如何回覆，要寫：

「形勢大好，不是小好；是真好，不是假好。」

我也只好這樣寫。按理說，人民有通信的自由，別人無權過問，不過我們講的是「老實交代」。記得尼克松水門事件的時候，朱家源先生和我閒聊，大發了一通感慨，說：「真是奇怪，為甚麼不直接把他揪出來，讓他老實交代?!」

1976年是中國的多事之秋。周恩來去世，「四五」運動，朱德去世，唐山大地震，毛去世，接着就是揪出「四人幫」。如果評選當年世界的十大新聞，我想中國得佔一半。

「四五」運動是解放以後第一次天安門鬧事，廣場上人挨人、人擠人。群眾悼念周恩來，認為他是個正直的人，是個好人，那麼背面的意思就是說：有壞人。雖然表面上沒有點江青的名字，不過誰都能看出來，那是一種不滿的氣氛，也可以說是反對現狀。那時候毛也一定知道，據一篇回憶錄上說，毛當時看了電視，就說：這些人都是反對我的。* 我想，毛當時也會有一種幻滅的感覺。比如有人在大字報上寫：「秦始皇的時代一去不復返了！」毛是自命馬克思加秦始皇的，贊成焚書坑儒。可是到臨終的時候，還有那麼多的人反對他。

我家就在北海旁邊的西什庫，每天上下班都從北海前面走。沿着北長街到天安門，最後到建國門，騎車也就二十多分鐘。那次給我的印象很深，每天都有

---

* 此一說法流傳甚廣，疑自姚文元未刊之回憶錄，但有些學者認為係偽作。

很多人，而且很多是單位組織的，舉着花圈、打着旗子排隊去。那時候，領導上已經警惕到了。

有一天早晨上班，我看見北長街北口部署了警察和許多戴紅袖箍的人，大概是民兵組織。他們攔住了紀念的人群，不准過去，舉花圈的人群就往前沖，有一種劍拔弩張的氣氛。這種景象我在解放前時常看見，學生一遊行，軍警出來阻止，學生就往前衝。可是解放後，所有的遊行都是由黨領導的，秩序井然，從沒有當局和群眾間的衝突。那次我看見這個衝突，感覺到局勢有了變化，群眾與當局的正面衝突又出現了。那次晚上糾察隊出來，動了棍子鎮壓群眾，只是沒有開槍，據說把人都轟到太廟(勞動人民文化宮)裏，直到「四人幫」倒臺以後，才把那些人從監獄裏放出來。

沒過多久，毛去世，這是很多人想不到的事情。因為總是一貫宣傳他非常非常健康，天天講「毛主席萬歲」、「萬壽無疆，萬壽無疆」，病危了大家都不知道，以為他真是萬壽無疆、永遠領導我們前進。忽然一下他死了，很多人心理上不能接受。我想，這個社會有些是由慣性指使的，比如考科舉。我小的時候回湖南老家，聽老人們說，廢除了科舉，某某人就痛哭流涕，受不了。並不一定他覺得科舉制度有多麼好，但他一生都順着這個方向走，那是讀書人惟一的出路。現在一下子沒有了，他就沒前途了。毛去世時情況有類似，大家一點心理準備都沒有，好像 車 不住一樣。

緊接着，到了那年秋天，「四人幫」馬上就垮臺了。大家再次上街遊行，又是唱又是跳，興高采烈的，和剛解放時候的場面一個樣。

3. 馬上得之，馬上治之

解放以後，我們有過幾次思想解放的高潮。一次是文革一開頭，天下大亂。除了毛和林以外，幾乎所有的高級領導都被貼了大字報，這和從前大不一樣。從前反黨就是反革命，誰敢這麼幹？第二次高潮是1978、79年，鄧小平還未正式上臺時候的西單民主牆，五花八門甚麼大字報都有，那是思想最為開放的一段時期。當然也有開玩笑的，比如有個大字報講他自己的經歷，為人不錯、能力也強，可是工作上受壓抑，大家歧視他，不但分不到房子住，連對象都沒有找到。然後在後面貼一張相片，說：「其實我的長相也不錯。」大家仔細一看，貼的竟然是影星孫道臨。還有的大字報真是反體制的，說不能一黨獨裁，一定要實行多黨制，要三權分立，黨不能領導軍隊等等，把資產階級的那一套又搬出來。

我想，那次運動大概是在為鄧小平上臺做鋪墊，不然還停留在「兩個凡是」* 的基礎上。華國鋒講話，說：「揪出『四人幫』，標誌着第一次文化大革命勝

---

* 「凡是毛主席作出的決策，我們都堅決維護。凡是毛主席的指示，我們都始終不渝地遵循。」參見1977年2月7日《人民日報》、《紅旗》雜誌、《解放軍報》聯合社論〈學好文件抓住綱〉。

利的結束了。」* 因為按毛的理論，以後還要不斷的進行文化大革命，那怎麼得了？所以在1978年有了一次徹底的思想解放，大家暢所欲言，動搖了「兩個凡是」，為鄧小平的上臺做了一次輿論上的準備。當然，這是我個人的理解。

1978年底「一風吹」，包括各類反革命、右派全都給平反了，「五一六」也不了了之。在這一點上，鄧小平、胡耀邦是非常英明的。別的不說，全國右派就五十五萬個，更不要說其他，加起來總得數以百萬、千萬計，幾十年下來每人都是一大摞的材料。如果張三、李四一個個仔細甄別，像以前那樣恨不能每一個毛孔都給審查到，那得多少人力、物力？好幾年也搞不完呢。鄧小平「一風吹」，只保留章伯鈞、羅隆基、儲安平等等五個右派，其餘的一句話，大家就都不是了。這需要很大的氣魄。

那年我也正式被平反了。人事科叫我去簽字，就一張紙條，寫得非常簡單。可是裏邊有一句話：「因為他不了解黨內鬥爭的複雜，所以犯了一些錯誤，……」看了之後我不滿意，不肯簽字。後來又改了幾次，最後是徹底平反，寫着：

---

* 原文：「文化大革命開始的時候，毛主席就提出：『天下大亂，達到天下大治。』……現在，『四人幫』打倒了，我們可以根據毛主席的指示，實現安定團結，達到天下大治了。這樣，歷時十一年的我國第一次無產階級文化大革命，就以粉碎『四人幫』為標誌，宣告勝利結束了。」參見華國鋒：《在中國共產黨第十一次全國代表大會上的政治報告》，《人民日報》1977年8月23日頭版至第六版，引文見第四版。

「經審查，何兆武同志沒有政治問題，過去所強加給他的一切不實之詞應予推倒，宣佈平反。有關材料，予以銷毀。」

這次我簽了「同意」。有關那段歷史的記錄就這麼一抹而去了，後人不再知道。不過，和大多數人的心情一樣，以前因為帽子太多、太濫，早就失去了意義，現在平反也就變得無所謂了。而作為堅持到最後的那批領導者，也就是「強加給別人不實之詞」的那些人，後來依然在臺上風光，似乎並沒有人追究他們的責任。

歷史所有一個人叫田昌五，1950或者1951年北大畢業，是個地下黨。後來在歷史所黨委，是書記尹達手下的「三駕馬車」之一，另兩位是酈家駒、林甘泉。改革開放後他到山東大學去了，不過他的愛人在科學院，所以還住中關村這邊。以前太平洋大廈那個地方是個農貿市場，我常到那裏去買菜，好幾次碰見他。在歷史所共事的時候並不熟，因為他是黨委，而我不過就是個普通工作人員，地位懸殊，所以接觸少。倒是他下來以後，我們在菜市場裏常碰見，才慢慢熟識了。這個人過去有點飛揚跋扈的作風，說起話來氣勢洶洶，所以甚麼都敢說。後來他也不當權了，時不常的就發牢騷。有一次我問他，中國的問題出在哪裏，他說：

「問題就在『馬上得之，不能馬上治之』。」

這是《史記》裏的典故。漢高祖是個流氓，最看不起知識分子，手下有個重要人物叫陸賈，常常在他面前引經據典。漢高祖就說：「乃公馬上得天下。」意思是說：老子的天下是打出來的，靠的不是學問。陸賈就跟他說：「馬上得之，不能馬上治之。」*後來漢高祖聽了他的勸，能做到這一點也很不容易，所以漢代在中國歷史上還是很輝煌的。有人批評過毛，說他「游擊作風」不改。但毛講話說，寧肯保留「游擊作風」的傳統，† 其實這並不符合近代化的要求。比如打仗的時候可以三天不吃飯，那是特殊情況，但治理天下得按規律辦事，不能還用老一套，總讓大家三天不吃飯。田昌五認為，中國的問題也在「馬上得之，馬上治之」上面。我覺得他說的有些道理，大學時候錢穆先生講課也是這個觀點。

中國歷史上凡是清明的政治，比如漢唐，打下天下後都是「與民休息」。罹亂了很多年，要給人民休養喘息的機會，所以有了漢唐盛世。秦始皇則不然，

---

* 「陸生時時前說稱《詩》、《書》。高帝罵之曰：『乃公居馬上而得之，安事《詩》《書》！』陸生曰：『居馬上得之，寧可以馬上治之乎？』」，語出《史記．酈生陸賈列傳》。

† 據《人民日報》數據，建政前後，尤其1948–1951年間，「遊擊作風」、「遊擊習氣」始終被否定，要「克服」、「取消」、「批判」和「徹底轉變」。所指不僅限於部隊，各行各業都在強調正規化。但「反右」以後，口氣忽然變了。1958年8、9月間，毛親自為「農村作風」、「遊擊習氣」正名，從此一概被表述成「光榮傳統」、「優良風氣」，而所有對它的「譏諷」、「攻擊」都成了對群眾運動的藐視，是資產階級思想，是對黨領導的攻擊。

經過很多年的戰爭，人民生活非常困苦，可是還要築長城、打匈奴。隋煬帝也一樣，開運河、打高麗，非常勞民傷財。這就好像一個人病重剛剛好，不讓休息，又把他拉起來幹這、幹那。

所以，我們應該吸取歷代的教訓。

被報廢的一代人

1. 弄虛作假五十年

從1956到86年，我在歷史所工作了整整三十年。按理說，如果真正做點甚麼工作的話，應該是可以做出一點小小的成績的。可是這三十年，特別是「反右」以後強調了政治掛帥，整天搞運動，都是不務正業。只能在夾縫裏做些正經事，根本沒時間安下心來讀書，其他人也一樣。

歷史所到今天成立五十年了，前後總得兩百多人，其中不乏非常有才華、有水平的學者。如果能夠創造條件讓他們好好工作，成果會遠遠超出現在，但似乎並不是這樣。比如，從五十年代到現在，歷史所最大的重點任務就是寫《中國史稿》，主編郭沫若。雖然他幾次推辭，但仍一定要掛他的名字。這個工作做了四五十年，經常抽調二三十位骨幹參加，都是領導看中的精英。到今天寫完了沒有，我不知道。不過就我所知，這套書沒有得到任何肯定的評價，倒是有不少人反對。有時候我就想：

「這些年來，我們究竟都幹了些甚麼呢？」

1977年5月，社會科學院獨立出來，但在此之前，它名義上是中國科學院的一個分支機構。中國科學院一共分成四個學部：數理化學部，主任吳有訓；生物學地學部，主任竺可楨；技術科學部，主任嚴濟慈；哲學社會科學部，簡稱「學部」，主任郭沫若。「學部」包括哲學、史學、文學、經濟、法學等等研究所，接手原來國民黨時期中央研究院的班底。其中，關於歷史的研究所有五個：建國門的歷史所，東廠胡同的近代史所，還有世界史所、自然科學史所、考古所。歷史所實際上是中國歷史研究所，我所在的思想研究室就是中國思想史研究室。

如此看來，專業劃分也很細密了，不過那時候根本沒有專業——不但我們沒有，哪個室的人都沒有。一說今天勞動，好，我們去勞動，西直門就是我們歷史所拆的。明天麥收了，大家就去拔麥子。後天煉鋼鐵，院子裏支個土爐，把家裏的炒菜鍋、門把手都拿出來，一天三班倒，晚上也不歇着。還有那些迎來送往的任務，早上起來揣倆饅頭到所裏集合，排隊按照指定路線走。貴賓一般要到下午一兩點鐘才能來，上百萬人夾道歡呼，又打標語又搖旗子，大家一起喊「萬歲，萬歲！」「歡迎，歡迎！」過去之後，這上百萬人再按照指定路線走回單位。人山人海的，連公交車都沒有了，人挨人、人擠人。那時候，如果我坐車回家只需要二十分鐘，要是走的話，得走上一個多小時。進門就想睡大覺，這一天算是又報銷了。

有的青年很苦悶，說：「我們究竟是幹甚麼的，怎麼淨幹這些？」後來，黨委書記尹達傳達上面的精神，說：「現在明確告訴你們，『革命的需要』就是你們的專業。」革命需要你去「四清」，你們就得去「四清」，需要你拔麥子，你們就得去拔麥子。

其實，這種說法也有問題。我們掛的牌子是「中國科學院歷史研究所」，歷史研究是不是「革命的需要」？為甚麼不讓研究歷史呢？比如煉鋼，當然我們可以從頭學，學個三五年，或許也能出師，可我們到底是幹甚麼的？結果學歷史的去煉鋼，鋼鐵廠的工人批海瑞，把每個人都向着萬能型培養，其實是「萬不能」。甚麼都幹不好，而且是效率最低下的。困難期間，據說有一種「小球藻」* 最有營養，培養出來可以吃，於是歷史所裏弄了好幾個玻璃罐子做培養。我不懂那是個甚麼東西，不過，那本來應該是生物研究所或者農業研究所做的事，我們能研究出甚麼來呢？

最後不知道弄出了甚麼結果，反正我沒吃過。

運動是多年不間斷的，而且不斷升級，規模越搞越大。劉少奇曾有一段話，說：「有的人不喜歡運動，怕運動，我們就是要靠運動一波一波地前進。」†

---

* 小球藻、葉蛋白、人造肉精等，是1960年代大饑荒時期研發出來的「代食品」。

† 無從考證。「四清」期間，劉少奇曾說：「運動是長期的，不要停下來」(1963.12)，「人從來就是在不斷跟自然界的鬥爭中間和在社會的階級鬥爭中間改造自己，這是不以人的意志為轉移的」(1964.12)。是為旁

就是說：運動是正常的，不運動倒不正常，所以整天就是運動。學習的任務也非常之重，往往一個重要的文件下來了，一學就是幾個月，而且是整天學習。

1956年赫魯曉夫的秘密報告，那是震驚世界的大事，不但波蘭、匈牙利鬧事，西歐的共產黨也受到影響。二戰以後在西歐，特別在法國和意大利，共產黨都是第二大黨，完全有可能經過選舉掌握政權。可是赫魯曉夫的秘密報告一出來，引起了世界性的震動，很多人退黨。包括英國有名的馬克思主義的歷史學家E. P. Thompson(湯普森)，就在那時候退的黨。

當然這件事對中國的震動也很大，不過國內封鎖得很嚴。大概過了一年以後，報紙上還刊出了一小塊文字「闢謠」，說根本沒有甚麼秘密報告，* 大家當然也就相信了。直到改革開放以後，1980年我在美國才看到了這份秘密報告的英文版，非常地震驚，而對於世界來講，早就不是甚麼新鮮事了。可是當時在國內，秘密報告的消息一般人都不知道。正式傳達的文件是〈論無產階級專政的歷史經驗〉，以及〈再論無產階級專政的歷史經驗〉。那是中央政治局討論的結果，作為正式文件傳達，天天讓大家學習、討論。直

證，參見《劉少奇年譜(1898–1969)》，下卷，頁587、612。

* 實際上，中共雖然沒有官方報導，但也沒有阻止消息的傳播。包括外文書店公開出售的美共報紙《工人日報》(*Daily Worker*)就轉載了秘密報告的內容，被敏銳的大學生看到，又譯成中文在北京高校流傳，引發了不小的震動，產生了極其有限、又極其深遠的影響。文中所提的「闢謠」文字無從考證，致歉讀者。

到六十年代「中蘇論戰」，和赫魯曉夫有了正面的交鋒，有了「九評」。每篇文章都是一學就一兩個月，九篇文章學了一年多。

文革的時候更是這樣。比如晚上八點鐘，電臺裏宣佈了最高指示。於是大家就九點鐘集合，背最新的最高指示，然後敲鑼打鼓放鞭炮，到天安門遊行。回來以後都夜裏一兩點鐘了，還不讓回家，每個人都要表態，「堅決擁護……」一圈輪下來，天也快亮了，再回家睡覺。總是這樣折騰，還能幹甚麼正事呢？

我在歷史所三十年，仔細算來，真正放在專業上的，加起來不過兩三年，其他百分之九十的時間都跟歷史研究無關。比如文件傳達，來不來就好幾個小時。其實要把它印出來的話，有個一二十分鐘就看完了，而且印象還深刻得多。我想在這一點上，恐怕和當年的背景有關。當年在山溝裏打游擊，群眾都是沒甚麼文化的老鄉，又沒有條件全部印出來，於是就把他們召集起來，翻來覆去的講。可是解放後還用這個辦法，何必呢？一篇大文章，唸就得用一個多小時，難道大家都不識字？

再比如下幹校，有好幾位大名人，讓他們做甚麼呢？錢鍾書那時候六十歲了，算是照顧他，就讓他送信。每天背一個大口袋滿處跑，上坡、下坡一跑就是好幾個小時。其實這種活兒隨便哪個人都能幹，何必一定要找個大學問家？「反浪費」是解放以後最先開始的運動之一，我們講節約，物力不能浪費，但人才的浪費不是浪費嗎？實際上，人才的浪費才是最大的浪費。而且，是不是送兩年信思想就能改造好？我表示懷疑。

上面說的都是和業務無關的活動，也是最花時間、最費精力的部分，下面再說說業務上的事。2004年，歷史所出了一本回憶錄，叫作《求真務實五十載》，紀念建所五十年來的種種成績。不過我以為，實在應該再出一本，就叫《弄虛作假五十載》，講講那些見不得人的事。不過現在，那些都沒人提了。

先說學術上的虛誇風。

「大躍進」的時候，社科院各個所都要上去講成績，聽起來一個比一個的成績大，就像打擂臺一樣。記得有個所上去，說：「我們所翻譯的資料，一個人一天譯十萬字。」不要說翻譯，就是讓我抄，一天也抄不了一萬字，他怎麼能幹那麼多？但在那種風氣下，誰越虛誇誰越受到尊敬。一天十萬字，一個月三十萬字，一年三百六十萬字，三十年就是上億字了。歷史所以前有位先生叫田昌五，評職稱的時候說：「我有一百萬字！」他確實寫的比我們都多，應該給他評上，可是如果他現在還活着的話，應該自愧不如了。據說某先生短短幾年就有了一千六百萬字之多，一百萬字可是不值錢了呢。

《資治通鑒》是司馬光主持的，找了三個專家做他的助手，底下還有一批人幫助他們。一共幹了二十年才300萬字，平均下來一個人一年頂多也就幾萬字，已經很不容易了。這位先生幾年下來1,600萬字，就像畝產多少萬斤一樣，這不是天方夜譚麼？

領導知道我懂一點外文，所以有時也來找我。六十年代初，一天秘書處的負責人把我叫去，說是有翻譯任務。拿一本書過來，但為了保密，只從中間撕下三章、差不多一百頁交給我。這本書的作者是誰我不知道，內容大概是講十九世紀中葉，一個英國旅行家Carruthers在中亞旅行的所見所聞。有一天，我們研究室的冒懷辛到我辦公室來，問我在忙甚麼。我說上邊交代了個任務，讓翻譯一本書。他扒到我桌上看了看，正譯到這位旅行家某天到了迪化(今烏魯木齊)，迪化知府請他吃飯。這頓飯從早上吃到天黑，一共上了三十六道菜，第一道是甚麼，第二道是甚麼……把每道菜介紹了一遍，而且中間還要把席面抬開，重換了桌子等等，光這些內容就寫了好幾頁。冒懷辛說：「這有甚麼意思，你不是浪費時間嗎？」

的確如他所說，我又不研究烹飪史，也不研究美食史，費那許多精神一幹就是好幾個月，和我的專業有甚麼關係呢？我猜想，可能是因為和蘇聯的關係鬧僵了，上邊要找有關中蘇邊界的資料。不過如果是這樣的話，應該找中蘇邊境問題的專家才對，他們更熟悉，也知道哪些材料最重要。我是既沒研究過中亞，也沒研究過新疆，連地名都是陌生的，一切都得從頭來，而且完全摸不着頭腦。那是甚麼個效率，會有甚麼效果呢？

再比如文革後期，有一次領導交代一篇翻譯的文章讓我校對，結果我發現問題很多。當然，一個人的水平有高低，這是勉強不來的，就像不能要求每個運動員都打破世界紀錄一樣，水平不行也不必嘲笑他。但你不能弄虛作假。比如參加一萬米的你少跑兩圈，或者參加跳高的你從竿子底下鑽過去，這是不行的。這位同志的翻譯，凡是疑難的句子都跳過去，原文沒有的話他在那兒胡編亂造。這種翻譯，除了充數有甚麼意義呢？

還有一件事情，給我的印象很深。歷史所有位女同事叫劉坤一，老燕京出身，年紀比我還大。有一次，我們的副所長拿她的譯稿讓我校對，同樣讓我驚訝的是，她的譯稿不但和原文對不上，而且連中文都不通。劉坤一是研究生畢業，怎麼會中文都不通呢？我不相信。後來有一次和她聊天，她大發牢騷，說：「老讓我們做『無名英雄』。」比如某領導忽然對某個題目感了興趣，就交代篇文章讓底下人翻譯。吭吭哧哧幹了倆月交上去，他三分鐘看看沒意思，啪，往廢紙簍一扔——得，這兩個月的勞動就報銷了。經她這麼一說，我就明白她為甚麼連中文都寫不通了。

對知識不尊重，對人才不珍惜，倒使濫竽充數成了風氣。

1976年唐山鬧地震，上面交代讓整理地震資料，搞得像國家機密一樣。人手一套地方志，比如《某某府志》，拿來一頁一頁翻。忽然發現一條記載，說康熙某某年，某地發生了地震，死了若干人。於是趕緊把它抄下來，這就是歷代地震的材料了。也許這是需要的，假如真研究地震，可能也很有意思。可是我們不懂地震，也不研究地震，一弄幾個月，倒也弄了一大厚摞，做甚麼用呢？

學部雖然牌子掛的是「中國科學院」，但在領導體制上歸中宣部管，明確屬於「黨的理論戰鬥隊伍」，帶有很大的官僚行政機構的性質。所以，歷史所的工作實際上是直接為現實政治服務的。

比如文革前夜，歷史所接到上級任務，查歷代政變的資料。於是乎，男女老少齊上陣，翻箱倒櫃找材料。之後不久，林彪有一個講話在當時非常有名，歷數二戰以後全世界的政變以及中國的歷代政變。我想，他用的就是我們提供的那些材料。* 後來又有所謂的「二月兵變」，針對的應該是幾位老帥，最後好像都推到賀龍身上，是文革初期很重要的一個案件。我想這或許是故意製造的一個「事變」，所以要事先找材料渲染一種氣氛。

---

* 即，林彪1966年5月18日在中央政治局擴大會議上的長篇講話，又稱「五一八講話」。該篇意在剷除毛的潛在政敵、鞏固其個人權力，措辭殺氣騰騰，遭到大部分與會者抵制和反對。但最終毛澤東拍板通過，成為全國的政治綱領。

林彪事件後搞儒法鬥爭，把法家捧的不得了，把儒家批得一無是處，接着就是批林批孔。其實，都是為了當前政治鬥爭的需要。因為林彪引過《論語》裏「克己復禮」這句話，於是認為他反動思想的老根子全在孔老二的身上，所以就猛批孔老二。*

如果不參與其中的內幕，你永遠都弄不懂到底是怎麼回事。孔子已經離我們兩千五百年了，我不相信他對今天還能有多大的影響，費那麼大勁批他做甚麼？不等於唐吉訶德先生跟風車作戰，犯了神經病麼？再者，今天的青年人究竟有幾個真正崇拜孔子、跟孔子走的？我想即使有，也是極少，沒有多大力量。孔老夫子哪些好、哪些不好，哪些對、哪些錯，這是一個學術的問題。你要打倒甚麼人，那是另外一個問題，不必借着這個說那個，一味地影射。林彪跟孔子有甚麼關係？

其實都是牽強附會，太政治實用主義了，也可以叫作「古為今用」吧。

再說說科學研究。按理說，那應該是先研究、再下結論。可當時正相反，我們是先有結論，而所謂「研究」，無非是給這個結論提供證據。

---

* 1969年10月19日，林彪題寫了「悠悠萬事，唯此為大，克己復禮」的條幅送給妻子葉群。三天後，葉群寫了同樣內容的條幅回贈。1974年批林批孔，特別這句「克己復禮」，所謂「復禮就是復辟」，更遭到排山倒海的批判。直到1977年粉碎「四人幫」，「借孔孟之道復辟資本主義」依舊是林彪的「罪狀」之一。

那幾年，國內關於歷史學的文章有兩個熱門題目，一個是農民起義。因為按《毛選》上說，推動歷史進步的動力就是農民起義。另外一個就是資本主義的萌芽。《毛選》上說了，就是沒有外國的侵略，中國也會自己發展到資本主義階段，於是這些就成了熱門。其實這兩點都是先有結論，把結論變成了前提，並沒有經過充分的論據證明。但底下這批搞歷史的人就都這麼附和，到處找材料證明這兩個先驗結論的正確。

實際上，中國的歷史資料並沒有農民起義的記載，都是寫「盜匪」。比如黃巾起義是「黃巾賊」，天平天國的人都留長頭髮，叫「髮賊」。於是我們的歷史學家就把所有「賊盜」都說成農民起義，把中國歷史改寫成農民起義的歷史，或者叫農民革命史，全是造反有理。如果是這樣的話，全世界任何國家都沒有中國歷史上那麼多、那麼大規模的農民戰爭，那中國歷史就應該是最先進的，是全世界發展的最高峰了——實際上卻又大謬不然。英國在十九世紀以前是世界最先進的國家，但我翻了半天蘇聯的教科書，只發現十四世紀的英國有個Wat Tyler的起義。難道因為這，英國就變成近代史上最先進的國家了？我不相信。

再有就是資本主義的萌芽說。這也是個設定了的結論，於是我們的歷史學家就到處找萌芽，結果找了一大堆似是而非的東西。比如說僱傭勞動，有人提供了生產工具、僱人替他勞動，從而產生了僱傭關係，那麼這就是資本主義萌芽了。要這麼説的話，就太幼稚了。比如我請個保姆幫我做飯，她沒有生產工具，鍋碗瓢盆都是我提供的，每月我要付給她工資，這就是資本主義萌芽了？按我的理解，甚麼是萌芽？它得開花、結果才能算是萌芽。可是萌了幾百年的芽，始終沒有繼續發展，那還算是萌芽嗎？古今中外到處都有僱傭勞動，那全世界就到處都是資本主義萌芽，那還得了。

類似的情況還有很多。事先設定一個唯一正確的理論標準，大家都要照着這個説，沒有人反對，也沒有人敢反對。但是，思想怎麼可以定於一尊呢？一個人怎麼可能字字都是真理？如果理論到某某人就是頂峰了，別人説的都不對，唯有他是正確的，別人都得聽他的。那麼，人類思想、人類社會就不會有進步了。

2. 幹了點正事

在我的印象中，解放後比較平靜的好時光，一個是剛解放那兩年，一個是困難期間以後，一直到1962、63年。政治任務少了，相對過了幾年平安的日子，可以做一點正事。對於我個人來講，還可以加上文革開頭那兩年。那時候天下大亂，到處打派仗。哪派我也不參加，班也不用上了，叫作「逍遙派」。乾脆關起門來讀幾本書，首先就是《資治通鑒》。

我作學生的時候，姚從吾先生就總對我們講：「《資治通鑒》你們一定要很好地讀，這是研究中國歷史最基本的讀物。」於是我就借來看，浮皮潦草讀了一遍，可是一點興趣都沒有，還不如看《三國演義》呢，小說裏寫得多熱鬧。一直到文革開頭那兩年，才又把這套書翻出來。這一次的感受完全不同了，真正讀出了興趣，從頭到尾認真讀了一遍。我想，這大概和生活經驗有關。《資治通鑑》裏講的都是政治鬥爭，中國的歷史真太骯髒、太可怕了。夫妻爭權、父子爭權，老子怎麼殺兒子、兒子怎麼殺老子，兄弟之間如何相互殘殺，真是驚心動魄。在權力鬥爭面前，最親近的人都是毫不客氣，更不要說旁人了。當時我已經四十多歲，也經歷了不少風波，讀起來有了切身感受。

比如，歷史上真正活躍在政治舞臺的那些人，幾乎都沒有好下場。「狡兔死，走狗烹」，這是韓信臨死前的感嘆，可惜他認識得太晚了。包括皇族，到最後幾乎都是全族誅滅，沒有一個得以善終。文革的時候也一樣，今天這個人是革命的，明天就成了反革命的，真是風雲變幻。

1966年，陶鑄剛做中宣部部長的時候到學部作報告，那是排在毛、林、周之後的第四把手了，他說：「我贊成你們可以普遍地轟一轟、燒一燒。」結果下一波就把他給轟下去了。歷史所紅衛兵的頭頭叫王恩宇，後來也是被關了好幾年，放出來以後，有時也跟我們講一點文革裏的事。他說，有一天中央文革把各路紅衛兵的頭頭召集到人大會堂開會，會上陳伯達從兜裏掏出一個紙條，說道：「陶鑄可以揪鬥。」於是這些紅衛兵就像得了聖旨一樣，立刻跑到中南海去揪鬥。周恩來還阻止他們，說：「你們沒有政治常識嗎？你們難道不知道，陶鑄現在是第四把手?!」可見當時的政治是非常複雜的，連周恩來事先都一點兒不知道，別人就更不要說了。

《資治通鑒》給我的感受非常多。再比如，中國歷史上有個「傳統」非常奇怪，秦皇、漢武、唐宗、宋祖，還可以再加上明太祖(朱元璋)、清聖祖(康熙)，凡中國歷史上最英明、最偉大的皇帝，在接班人問題上都犯了致命的錯誤。秦始皇殺了太子，讓個不成器的兒子做皇帝。漢武帝也是把太子給殺了，後來又非常後悔，建了「思子宮」、「歸來望思臺」。但也只能是思念，無可挽回了。唐太宗廢太子，當然他也很痛苦，一度想到自殺。宋太祖要把皇位傳給弟弟，結果他弟弟等不及就篡了位，我相信這是真的。明太祖立了孫子做皇帝，結果兒子朱棣造反。康熙也是，立了太子又廢，廢了又立。包括偉大領袖毛主席，也未逃出歷史的宿命。先樹劉少奇，後來換成林彪，最後換成華國鋒，還是不行。

我想，如果一個歷史現象總在同樣的情況下不斷重演，這裏邊就有點兒必然性了，大概是專制政權擺脫不了的必然。權力運動的規律，大概和財富運動(經濟)的規律一樣，也是不以人的意志為轉移的。

除了這套《資治通鑒》，我還讀了幾部西方的經典著作，包括康德的幾大批判，算是以苦為樂了。其實這些書以前我也讀過，不過讀的多是英譯本，德文、法文原本基本看不了。可是翻譯跟傳話一樣，轉一道手就打一個折扣，肯定和原作有很大的區別。所以文革開頭那兩年，我就決心對照英譯本啃。包括有了中譯本的，我也對照原文看一看。這種方法非常有效果，不但幫助你理解原文，甚至於發現了譯者的錯誤，比如梅因（H. J. S. Maine）的《古代法》。

這是十九世紀中葉的經典著作了，中譯本的文字非常好。可是當我對照原文仔細一看，發現譯本裏有個根本性的錯誤，可以說是不可原諒的。梅因這本書將古代社會與近代社會的法制做比照，特別是法國大革命前、後法制的不同。法國革命以前是 royal period，指波旁王朝，應該叫「王政時期」；法國革命以後拿破崙做了皇帝，叫「帝政時期」，imperial period。可是，這位譯者把 royal 和 imperial 完全混為一談，等於把兩根線攪在了一起，讓你根本看不出來是兩個不同的時期。好比一個人寫本書，講「中華民國」與「中華人民共和國」法制的對照，這是解放前、解放後兩種不同的法制。假如你把這倆概念都弄混了，以為民國就是「人民共和國」，或者「人民共和國」就是民國，這本書就根本沒法看了。

其實譯者文字還是不錯的。我想他大概是學法律的，或者粗心大意了，或者是對這段歷史背景沒有常識，結果在一個關鍵的概念上攪線兒了。所以文革以後，我給商務印書館寫了封信，把這個問題告訴他們。

1968年秋，軍宣隊、工宣隊進駐歷史所，立刻又是整天運動。挨批挨鬥、關牛棚、下幹校，就不可能再讀書了，直到林彪事件出來。

文革以林彪事件為界線，分為前、後兩個時期。前期是最緊張、最激烈的時候，可是林彪的事情一出來，高舉緊跟的神話一下就破產了。雖然表面上也說「堅決擁護」，但實際上已經泄了氣，失去了當初排山倒海、風雲激蕩的氣勢。單位裏工作渙散，有點兒無政府狀態。不上班的時候，我就在家裏偷着幹，叫作「地下工廠」。盧梭的《社會契約論》、帕斯卡爾的《思想錄》、康德的《歷史理性批判文集》都是在這一期間翻譯完工的，只是不敢見人。但我知道有些人也是這樣幹的，包括李澤厚。

在西南聯大讀書時，盧梭的《社會契約論》當時叫《民約論》，是張奚若先生指定的必讀書。這部作品已經成為西方思想史上的經典，在中國近代史上也有很大影響，卻居然沒有一個可讀的中譯本。上大學時，我就想把這本書翻譯出來，可是知道自己的知識積累不夠，沒敢動手。在歷史所的時候，我抽空翻閱了一些思想史方面的材料，一次偶然得到Halbwachs的註釋本。於是找來幾種名家的註釋本，後來又根據

Vaughan的權威本，而且除了翻譯，還做了集注的工作，至今已前後修訂了三次。

再比如帕斯卡爾的《思想錄》。我以為，從十七、十八世紀以來，近代西方思想史實際上是兩大主潮的相互頡頏。一條是由笛卡爾開闢的「以腦思維」的路線，講求嚴格的邏輯推理，一點都不含糊。另一條是由帕斯卡爾開闢的「以心思維」的路線，強調以人內心感受的世界，而不僅僅停留在純邏輯的層面上。其實後一條路線並不違反科學，帕斯卡爾本人就是近代最傑出的數學家和實驗物理學家之一。可惜他所處的正是近代科學大步發展的時候，整個社會的思想對「必然性」側重得多，而對人的主動性重視不足。所以，帕斯卡爾的思路在當時及之後的若干年裏，一直處於半地下的狀態。直到十九世紀，科學的神聖性地位有了動搖之勢，機械主義的世界觀不斷受到挑戰。所以叔本華、尼采的意志哲學流行起來，把重點放在「人心」的感受上，而不是邏輯推理上。到了二十世紀，這個趨勢更加明顯了。走數理道路的分析哲學只在英美流行，而歐洲大陸哲學的立足點主要是強調「以心思維」的各種現代、後現代思想，這就有帕斯卡爾的影子在裏邊。

年輕的時候我就欣賞他，當然，只是零零碎碎讀過一些。不過我國的研究者對帕斯卡爾介紹得很少，一般講哲學的幾乎從不提他的名字。帕斯卡爾生前並沒有定稿，他的作品只是一段一段的筆記，有些話寫的讓人很難琢磨，必須要找一個好的註釋本幫助理解。文革時候，我恰好找到一部帕斯卡爾的權威本，所以又偷偷譯了他的《思想錄》，並且找出幾種註釋本，做了些集注和詮釋的工作。

另外，在我所感興趣的歷史哲學領域，康德的《歷史理性批判》一書迄今仍不失為西方最深刻、最有價值的著作，儘管我並不認同它。文革期間，費了好大的勁斗膽把它譯了出來，雖然出版社壓了十幾年，直到1990年才出版，不過我已經很滿意了。因為當初翻譯的時候，根本就沒有想到這種書能出版。

其他的幾部譯作也大都由於興之所至，我自己選擇的，但有兩部書是當事人來找的我。一部是李約瑟的《中國科學技術史》。那是個很大的工程，自然科學史研究所找到了我，於是我參加了第二卷《科學思想史》的翻譯。另一部是羅素的《西方哲學史》，那個的遭遇就有點兒戲劇性了。

羅素是大名人，得過諾貝爾文學獎。早在二十年代初就到中國來過，正是「五四」時期，對中國影響還是很大的。五十年代的時候兩大陣營對峙，第三次世界大戰隨時有爆發的可能。這時羅素搞世界和平運動，反對美帝、反對核訛詐。當時我們宣傳「全世界人民團結起來，打倒美帝國主義及其一切走狗」，*

---

* 有關「一切反動派都是紙老虎」、「全世界人民團結起來」、「打倒美

所以很欣賞他。周恩來特別給他打過一個電報，讚美他對人類和平的貢獻。後來，毛和周聯名給他寫了一封信，邀請他到中國訪問，他也非常高興。可羅素當時都得九十歲了，臨上飛機的時候由於身體原因來不了，就把他那部《西方哲學史》送給毛，毛交給下邊翻譯出版。當時出版社分工非常嚴格，商務印書館專門出版國外的翻譯作品，所以就交給了商務，他們又來找到我。這些都是商務印書館的負責人、學姊駱靜蘭親口告我的。

當時我在歷史所搞中國思想史，但對西方思想史也感興趣，願意做點翻譯工作。可是這部書太厚了，我沒那麼多時間，只譯了上卷，請他們再找別人譯後面的部分。* 沒成想到了文革，毛澤東思想工人宣傳隊給我定案，說這本書是反共的，我翻譯羅素的書就是「為中國復辟資本主義招魂」。其實，他們完全可以了解一下這書是怎麼來的，如果翻譯這本書是給中國復辟資本主義招魂，那毛澤東不成了教唆犯？但我只敢偷笑而不敢明言，不然那簡直是不要命了。

過了些年，這書重又流行起來，前後重印了總得

帝國主義及其走狗」、「爭取世界和平」的立場，自解放戰爭以來從未改變。1963、64年，喊出了「全世界人民團結起來,打敗美國侵略者及其一切走狗！」1970年5月20日，毛發表同名文章，又稱〈五二〇聲明〉。直到1972年尼克松訪華，中美關係正常化之前，這句經典語錄一直都是最著名的口號之一。

* 最早一版《西方哲學史》僅翻譯了上卷，商務印書館1963年出版，內部發行。

有二十幾次。現在還不斷加印，成了我翻譯的書裏印數最大的一本，確實也有些出人意料。

我在文革前，以及文革期間翻譯了一些書，當時我自己的想法是：第一，這些書都是有價值的，人類的文化畢竟還是要有。第二，如果出了問題，我的責任小，因為這些話不是我說的，我只是複述別人。如果我這一生有成績，大概也就這一點點。

不過總的來說，我們整個這一代人在學術上是報廢的。包括比我再小上二十歲，也就是現在六十多歲的，這三十年間的一代人基本上沒幹甚麼正業。

個別的當然也有有成績的，不過那是有特殊條件的，比如哲學所的李澤厚。文革開頭說他生活上有問題，是壞分子，哪一派都不要他，倒是給他創造了條件，在家裏悄悄的弄出了成績。李澤厚很有點才的，算是「因禍得福」了。不然的話，無論參加哪一方，文革裏一定也是個靶子，逃不掉的。他們所還有一個叫李幼蒸的，他是民主人士李蒸的兒子。那時候李蒸病重，他就賦閒在家專門伺候父親，同時讀了幾年書，倒是很有成績，算是最早接觸後現代理論的學者之一。不過這都是很特殊的情況，一般人不會有這樣的條件，當然也就搞不出甚麼成績。

大概現在五十歲左右的一輩又不一樣了。文革過後，他們才二十歲左右，還是小青年，不算太晚。可是像我們這代人，大好時光就那麼混過去了，等到人過中年，忘的比學的還多，想學也學不進去，不可能在學術方面有甚麼作為了。不但腦力勞動，就是體力勞動也一樣。比如運動員，到三十多歲總該退役了，沒有說四十多歲還搞花樣溜冰的，其他領域也一樣。

本來我們這一代人也應該做出自己的貢獻，結果大好的光陰就這樣晃過去了。一直到文革結束，中國依然處在非常落後的狀態。大家依然吃不飽飯，還要靠糧票限制口糧，這其實是很糟糕的。

歷史所老人

1.「百萬富豪」侯外廬先生

1952年，我到西安的西北大學師範學院，在歷史系教了四年書。當時的校長是侯外廬先生，不過他是校長，我是三十剛出頭的年輕教師，中間差了好幾級，沒有直接接觸。1956年的時候，大概毛確實覺得中國太落後了，於是黨中央號召向科學進軍，「百花齊放」、「百家爭鳴」，優待知識分子。我還記得當時給每個教師發個優待證，比如進理髮館，人多的時候可以先給你理。其實這些都不太必要，不過我們過去一做甚麼就做得挺邪乎、挺極端的。

在黨的號召之下，科學院集中了全國好幾百個知名科學家，用了大概半年的時間，定了很大規模的計劃，叫作《1956–1967年科學技術發展遠景規劃》，簡稱《十二年科技規劃》，足足一大厚本，非常詳細。各個研究所都在招兵買馬，歷史研究所請陳寅恪先生做所長。陳先生不去，於是請陳垣，還請了郭沫若。陳垣八十多歲了，做不了多少事，只能是掛名。郭沫若以中科院院長的身份兼任歷史所所長，也是掛名。於是又調了兩個副所長來，一是北大歷史系的向達，另一位就是西北大學校長侯外廬，同時兼中國思想史研究室的室主任。

當時大家確實想按《十二年科技規劃》發展，所以各個所都不斷的往裏調人。經人介紹，我從西北大學調入的中科院歷史所，成為侯先生的助手之一。

解放後，大學本科的畢業生剛一參加工作，每月的工資是42塊，實習期滿以後變成52塊，接着就是二十年一貫制。因為我是解放前的大學生，在北圖工作的時候就比他們剛畢業的多拿一點，一個月有五六十塊錢。後來到歷史所，工資提到149塊5，那就比較高了，可以算是「中高」。侯先生是一級研究員，他的工資在我們所是最高的，大概是350或者360塊錢一個月。不過侯先生挨整以後，工資全停了，每個月只發幾十塊錢生活費。

侯先生年輕時就服膺馬克思主義，二十年代在北京師範大學唸書時上李大釗的課，深受其影響，從此走上了馬克思主義的道路。後來留學法國，專門攻讀馬克思理論，並着手翻譯《資本論》。就我所知，他是最早翻譯《資本論》的人。侯先生的外文並不怎麼好，不過在這一點上我的看法和許多人不同。現在有一種偏差，以為外語通就「一通百通」，不過我不迷信外語學院。翻譯的事情，第一重要的是了解專業，不要說外文，中文也一樣。比如學古代漢語的，讓他寫篇文章談談人民幣升不升值，他能寫嗎？語言不能代替具體專業的知識，這和中文、外文好不好沒有關係。

侯先生從法國回來後，知道已經有人在譯《資本論》，於是只翻了一卷就停手了，並把自己的譯文遞給對方。當然，侯先生的風格非常之高，其實他譯也沒有問題。一部經典著作可以有不同的翻譯，比如老子的《道德經》，現在國外有好幾十種譯本了，各人有各人的理解。再比如歌德的《浮士德》，我接觸過好幾種不同的英譯本，每個譯者都有自己的風格。有的句子非常長，看起來很彆扭，但真實再現了原著銷魂動魄的精神，有的譯得非常漂亮，卻總有點遠離了原文表達意境的味道。侯先生的中文大家覺得很彆扭，不過《資本論》的原文就不是很流利的。所以對有些「評論家」專門從文字角度評價譯者，不顧原文風格一味要求文風流暢，我總覺得不太合適。

回國以後，侯先生在哈爾濱的法政大學教過一陣書，後來又在北平大學的法商學院任教。平大法商學院的歷史是這樣的：民國初年，北京一下子成立了許多專科大學，有法政大學、醫科大學、工業大學、農業大學、女子大學等等，總得有八九個。國民黨北伐以後，名義上統一了全國，就把北京所有這些專科學校合併成一個「北平大學」，分別叫作「平大工學院」、「平大農學院」等等，但實際上還是獨立的。當時的很多名牌學校，包括北大、清華，教師都是正經八百的學院派，或者說「資產階級的學院派」。倒是那些差一點的，特別是一些私立大學，政治上的要求不是很嚴格，真正成了宣揚馬克思主義的場所。比如中國大學，那還是民國初年孫中山創辦的一所私立學校，就在現在教育部的地方(原鄭王府)，陳伯達就在那裏教書。平大雖然是公立的，但因為原來都是專科大學，水平差一些，不同思想的教師也比較容易進，所以就成了左派的天下。特別是法商學院，那裏左派教師集中，學生多是左派，所以法商學院也是最鬧事的。

侯先生來北京，就在平大法商學院教課，雖然不能非常公開，但實際上就是教馬列主義。1932年12月那次抓了三個教授，除了侯先生，還有北大的許德珩、北師大的馬哲民。罪名好像是「危害民國」，還判了刑，鬧了很大一陣，當時叫作「許侯馬事件」，侯先生是在第二年8月才被釋放。當時有個傳統，凡是名人被抓都會有人出來保。包括楊開慧被抓，蔡元培等等好幾個國民黨的元老都打電報給湖南省長何鍵，要求保她。但何鍵很狡猾，收到電報就先把人給槍斃了，然後回覆說：可惜電報收晚了云云。不過，過去確實有這個傳統，侯先生他們也被保了出來。

抗戰時候侯先生到了重慶，是左派文化領導人之一。抗戰初期，蘇聯援華是最多的，包括飛機、軍火、空軍志願者等等，遠遠超過美國。所以國民黨也拉攏蘇聯，特別派了立法院院長孫科到莫斯科去。孫科當時算是國民黨裏的開明派，回重慶後辦了一個

「中蘇文化協會」，侯先生在裏邊負責編《中蘇文化》。當時，郭沫若任國民黨軍事委員會政治部第三廳* 的廳長，是左派的文化領袖，他們經常有活動。有一次開座談會，張申府提出來要馬克思、羅素、孔子三結合，侯先生當場就批了他一陣。我們都是在《中蘇文化》上知道的。

1941年，新四軍被解散。當時黨的政策是讓所有人潛伏到下層去，廣交朋友，暫時隱蔽。那時候我在西南聯大作學生，學校裏忽然跑了一大批人，總有七八十個的樣子，差不多佔了學生人數的二十分之一左右。平常比較出頭露面的都紛紛離開，比如跑到雲南鄉下等等，免得被抓。侯先生還在重慶繼續辦雜誌，因為掛了孫科的名字，也是對左派進步雜誌的一個保護。

抗戰勝利後，國民黨壓制得更利害了，對共產黨下了討伐令，一部分「送回延安」，一部分就給抓起來。許多進步人士無法立足，先後輾轉去了香港，其中包括郭沫若、茅盾等等一些名人。侯先生在香港從事左派文化活動，在達德學院，一個規模不大的左派學校裏教書。一直到1948年東北解放，香港的左派人士紛紛回到解放區，侯先生取道東北回了北京，在母校師大做歷史系主任。

---

* 「國民政府軍委政治部」成立於1938年，是第二次國共合作時期的特設機構。其中「第三廳」主管宣傳，由共產黨領導下的左派人士組成，1940年9月被撤銷。

解放前，侯先生就出了幾本關於歷史研究的書，包括《中國古代社會史論》、《中國古代思想學説史》、《中國近代思想學説史》等等。還有就是《中國思想通史》，找了幾個人一起合作。不過第四卷沒有寫成，那也是內容最多的一卷，後來拆成了上、下兩冊。解放後，侯先生以民主人士的身份參加了第一屆政治協商會議。當時還沒有人民代表大會，政協是唯一的民意機關，像郭沫若、侯外廬等等與黨組織的關係長期隔絕，解放初期的身份是民主人士，直到「反右」以後才公開黨籍。1950年，侯先生被調到西北大學做了幾年校長，一直想繼續把這套書完成。直到1955年任歷史所副所長，所裏其他研究室由尹達負責，唯有思想史研究室完全由侯先生負責。實際上也是專門為他成立的，專門安排幾個年輕人做助手。特別是《中國思想通史》最後兩卷太長了，從宋一直到清，基本上就是大家在侯先生的指導下完成的。那是迄今為止最大部頭的、也是最早的一部最全的中國思想通史。

不過當時有個特點，大家都不務正業，正常工作經常被各種政治運動打亂。本來一年365天可以真正搞出點甚麼，但政治運動一來就壓倒一切。

「反右」一反就是一年，天天批右派。接着就是「大躍進」，大家都去大煉鋼鐵。本來所裏招研究生，按要求得讀經典著作、學兩種外國文，要做論文，可哪有時間呢？再後來是下鄉搞「三史」，村史、家史、鄉史，* 1959年我們就到河北盧龍縣去修縣史。三年困難時期稍微好一點，可能大家吃不飽，都沒勁兒鬧了，不過雜事依然很多。比如國慶天安門大遊行，紮花車一個月，排隊練習齊步走一個月，而且年年如此，一直到林彪出事那年才停下來。等等等等，諸如此類的事情非常之多，反而成了最主要的任務。

侯先生自己是比較主張搞業務的，可是總被各種政治任務打斷，動不動就全室的人都走空了。所以時常他也流露出不滿意，說：「上級的任務，該頂就是要頂。」記得有一次紀念辛亥革命多少週年，組織大家寫文章，侯先生說：「這個文章我們寫不了，得讓黨中央去寫。」

侯外廬先生首先是一個學者，主要的興趣在學術上。雖然掛了副所長的名義，實際上主要就負責我們研究室，一心只想完成他的那套《中國思想通史》，真正黨的工作很少過問。歷史所也算比較照顧他，對我們室的干預是最少的。所以到文革時候也成了一條罪狀，說侯先生搞「獨立王國」，給他起了個名字叫「黨內民主人士」。

而且侯先生有個特點，比較執着於馬克思主義的原典，凡事一定要從馬克思原典裏找根據，有點兒原教旨主義的味道。這是他從年輕時起一貫的路數，我給他做助手的時候，其中有一項工作就是幫他找德文

* 又有說是「家史、村史、社史」。

原典。從優點一方面說，這證明侯先生是一個真正的馬克思主義者，捍衛了馬克思主義的思想。但從缺點一方面說，就有點書呆子氣了。

政治是講現實的，而不是純邏輯的。真實的政治有它的「靈活性」，需要「理論聯繫實際」，按林彪的話就是要「活學活用」。可是，侯先生總把政治上的事情當學問來研究。比如上面讓批吳晗，那是政治的需要，批就是了。可侯先生一定要找原典，查一查馬克思對清官、贓官是怎麼定義的。再比如，上面號召搞人民公社，「共產主義是天堂，人民公社是橋樑」。但馬克思並沒有提過要搞人民公社，所以侯先生從來不寫這方面的文章，也不大表示擁護。不能「與時俱進」，甚至扯後腿，這也是他吃虧的地方。

文革時候，侯先生是歷史所第一個挨整的，戴上「資產階級反動學術權威」的帽子。雖然他是老馬克思主義者，那也不行。

解放後，史學界有「四老」之稱，指四位老牌的馬克思主義者，郭沫若、范文瀾、侯外廬、翦伯贊。另外還有一種「五老」的說法，就是再加一個呂振羽。抗日戰爭時期，呂振羽做過劉少奇的秘書，但後來也是最早出問題的。1963年把他抓起來，再往後就不提了，只剩下「四老」。不過這四位老資格的馬克思主義者，文革中無一倖免，都沒能逃過這一關。

翦伯贊自殺了，侯外廬癱瘓了，范文瀾做了五次檢討，不顧「實事求是」的原則，竟然囑咐幫他做檢討的助手説：「説得越過分越好。」郭沫若沒有被大規模地明批，實際上他的壓力也很大。一個兒子被打死、一個兒子自殺，* 而且他公開做自我檢討，説：「現在看起來，我以前寫的書都該一把火燒掉。」這話聽起來似乎有點否定過頭了，他是在否定自己，還是否定自己的事業？難道他真那麼想？

鬥侯先生時候，有一次把他整得很厲害，説他是叛徒。當時定個叛徒很簡單，凡被國民黨抓起來過的都被視為叛徒。因為當年抓人，有些找不出證據的也給放出來，只要寫個悔罪書，表示要信仰三民主義等等。或者有的人還寫：「本人一時糊塗，誤入歧途⋯⋯」這都是無奈之舉，不然怎麼能讓你出來呢？但解放後都成了罪狀。

而且有一件事情，現在説起來都當笑話了。有一次抄侯先生家，本來準備下午去，不知怎麼走漏了風聲，讓中央戲劇學院的紅衛兵搶先一步，把好東西都抄走了。結果我們所的這幫人去了以後，甚麼都沒撈到。這種活動我是沒有資格當參加的，不過我們室的王恩宇是紅衛兵的頭兒，我聽見他給戲劇學院打電話，説：「我向你們提出最嚴重的抗議，你們趁火打劫！」

第二天侯先生來上班，我看見會計室的女同志借給他五十塊錢，説是生活費。據説他家裏已被洗劫一空，連打火機都給抄走了。

---

* 郭世英（1942–1968）：肄業於北京大學哲學系，受農大造反派刑訊逼供，墜樓身亡，至今死因不明。郭民英（1943–1967）：肄業於中央音樂學院管弦系，服役海軍時飲彈自殺，年僅二十四歲。

侯先生本來身體很好，我想他再工作十年也沒有問題。大概是1968年，有一次鬥了他一整天，結果腦溢血，回去就癱瘓了。雖然後來活到八十四歲，可他最後那七八年躺在床上不能動，實際上就是一個廢人了。七十年代初我們從幹校回來，那時我還頂着「現行反革命」的帽子。記得有一次去醫院看病，碰到所裏一位老先生，大概是胡厚宣，問我身體怎麼樣。我說還好，就是腰疼。

他說：「我看你的樣子還好，可是你看侯先生，人都垮了。」

我說：「我跟侯先生不一樣，侯先生是『百萬富豪』，一破產受不了的。我就有一塊錢，拿走就算了，無所謂。」

歷史所差不多兩百人，侯先生是第一個挨整的，當時只有他一個是反革命，所以壓力很大。可是等我被揪出來的時候，全所大概三分之一的人都是反革命，也就不稀罕了。好比一個擔子四五十人挑，那比一個人挑，重量上要差很多。而且，侯先生是老馬克思主義者、老革命，又是社會活動家、政協代表、歷史所所長、國際知名學者。這麼多桂冠，一下子破產了，突然變成反革命，讓他出來掃廁所，既是一種懲罰，又是一種侮辱。就好比，我是從一個臺階上摔下來，爬起來還能接着走。可他是從高樓上掉下來的，那怎麼受得了？

特別是他的信仰、他的理想。

從年輕時候起，侯先生就為實現共產主義而奮鬥，奮鬥了一輩子，結果自己成為共產主義的敵人。這個打擊對他太大了，是旁人無法想像的。舉個不恰當的例子，就好比青年男女戀愛一樣，你全心全意的愛她，忽然發現原來是個騙局。如果精神脆弱的話，人會崩潰的。所以侯先生在一天夜裏突然發病，一下子就癱瘓了。

《中國思想通史》最後總算完成了，基本上是按照侯先生馬克思主義原典的那套思路來寫的，是他畢生學問的結晶。從這一點上看，應該算是幸運了。本來可以更充實、更深入，可惜大家的大部分時間都用來不務正業了，並沒有侯先生最初設想的那麼完美。

2.「一級研究員」顧頡剛先生

顧先生是「五四」時候的青年，和傅斯年、羅家倫、馮友蘭、俞平伯屬同一輩人。胡適雖然長不了他們幾歲，但他的輩份高。我愛人1934年北大入學，上過胡適的課。聽她講，胡適在課堂上非常謙虛，提到他的學生時都稱「先生」，比如「傅斯年先生」、「顧頡剛先生」。

那一輩人和後來我們這輩人有很大的不同，第一，他們的舊學，或者說國學，根底都非常之好，像陳寅恪、俞平伯是有家學的。或者沒有家學的，因為整個社會環境的原因，舊學根底也要比我們強很多。如果讓我們這一代來反傳統還反不了，因為經書全沒唸過，更不要說背誦。古典的精義全都不了解，反也反不了它。第二，「五四」這一輩人大都喝過洋墨水，像胡適留美，陳寅恪留德、留美，陳獨秀留日。名人中有兩個例外，一個顧頡剛，一個陶希聖。

「五四」運動是個愛國運動，但同時又是對幾千年神聖不可侵犯的傳統文化的徹底顛覆，這在世界歷史上都是少有的。所有的被壓迫民族，當他們要求政治解放的時候，都是把自己的傳統捧得非常之高。比如希臘獨立的時候，就極力發揚希臘的文化傳統，以對抗土耳其政治、文化的統治。二戰時的蘇聯也一樣，極力高揚俄羅斯的傳統，把俄羅斯的偉大人物，比如十八世紀的學者羅蒙諾索夫，評價得非常之高，甚麼甚麼都是羅蒙諾索夫的功勞。我們上中學的時候就知道，氧氣是法國的化學家拉瓦錫發現的。結果二戰後，被蘇聯說成是俄羅斯科學家羅蒙諾索夫發現的，又甚麼甚麼是羅蒙諾索夫定律等等。再比如無線電，那是意大利的大發明家馬可尼發明的，也被說成是俄羅斯學者的功勞，大概叫波波夫，用一種民族主義的情緒激發大家的愛國熱情。

而中國的「五四」運動是個例外。中國先進的青年知識分子極其愛國，但又極其的反傳統。或者說，他們以對傳統的極力反對，來體現他們的愛國熱忱，這是很多民族所沒有的。

另一方面，「五四」時的知識分子恰恰又是對傳統極其有研究的人。顧先生舊學根底非常好，先後出了七冊《古史辨》。後來有一批人跟着他的路數，成為一個有勢力的學派，叫「古史辨派」。他有一個基本論點，認為中國的古史，比如三皇五帝等等，大都是後人偽造的。而且越造越多，疊床架屋層層累積，把古史演説得越來越系統，其實都是假的。錢玄同也是疑古派，把自己的姓都改了，叫「疑古玄同」。另外，顧先生喜歡看戲，做學生的時候喜歡，從戲裏得到很多關於歷史演變的啟發，而且對民俗開始有了興趣，這一點功不可沒。過去的歷史學都是眼睛死盯着正史，只拿出經史子集來翻。可是顧先生看到了現實社會的生活，比如婚喪嫁娶等等，所以他對近代的民俗學有非常大的貢獻。顧先生很早就有了名氣。抗日戰爭前我在北京上學的時候，就在《中學生》雜誌裏看他的啟蒙文章。比如他寫明末清初的三大家，顧炎武、黃宗羲、王夫之，讓我大開眼界。

當時他是燕京大學歷史系主任，解放後顧先生在自我檢討裏説，當初他覺得北大矛盾多，捲進去比較麻煩，而燕京大學是外國人的學校，少有人事的複雜關係，受政治上的影響也小，可以安心做學問，所以他選擇了燕京。實際上，顧先生也是個很愛國的人。當時日本加緊對中國的侵略，駐紮北京的是馮玉祥的29軍，廣大官兵還是非常愛國的，但他們的頭頭宋哲元卻是個動搖分子，總想在日本和國民政府的夾縫中間做個土皇帝。顧先生親自到29軍做工作，寫了許多宣傳抗日的通俗作品。當時，很少有其他大學者像他這樣，這是很了不起的。

抗戰時候，顧先生在重慶辦了《文史雜誌》，宣傳愛國，宣揚中國的歷史文化。當時凡是名人，無論文化界、學術界、教育界，甚至於實業界，凡做出一點成績的，必然都會和政治掛鈎，這是必然的。所以顧先生到了後方之後，有幾件事情對他的名譽有影響。

第一件，國民黨當時要定一個「工程師節」。因為顧先生對民俗有研究，少數民族崇拜大禹，他考證出農曆六月六日是大禹的生日，所以當局就把「工程師節」定在這一天。但在此之前，他曾經有過一個重大發現，說大禹其實是條蟲子。那時候我正在西南聯大做學生，有一次聽中文系主任羅常培講課，說：「顧先生真有意思，考證出大禹是條蟲子，又說六月六號是大禹的生日。蟲子還有生日？」

這算小事了，另外還有一件大事。那時候把蔣介石吹捧為民族英雄，中央黨部的秘書長朱家驊出了個主意，要向蔣獻九鼎。那是中國古代讚美功德最隆重的禮節了，於是請顧頡剛寫頌辭。記得政治系主任張奚若先生在課上說：「竟然有人還要獻九鼎，也不知道是甚麼時代了，幸虧那個被獻的人還有點自知之明。」據說後來蔣介石自己拒絕九鼎，當然也就沒有獻成，不然跟做皇上一樣了。但無論如何，這件事對顧先生的聲譽是個打擊。

好像他還有個聲明，説九鼎的銘文不是他寫的，而是他的一個學生。我聽説，銘文實際上是他的學生劉起釪寫的。劉先生比我長四五歲，也是湖南人，後來在歷史所。不過這些都是傳聞，究竟是誰做的已經不可考。而且我覺得，對於過去的事，有些不必過於深責。文革時候，給江青的稱號是「文化大革命的英勇旗手」，誰沒有歌頌過她？當時的環境就是那樣，

又何必苛責別人？

1948年，顧先生以國大代表身份參加的總統選舉，後來成了他的污點。

我不知道顧先生是不是參加了國民黨，不過事實上認為他是國民黨。就像郭沫若一樣，組織關係是一回事，實際上已經是共產黨了。其實那時候，他不該捲到政治裏去。李白有詩：「含光混世貴無名，何用孤高比雲月。」一個人混日子就是了，最好是無名。不過顧先生大名鼎鼎，盛名之下或許身不由己。另外還有一件事情，解放前，顧頡剛在上海跟人合辦了一個「大中國圖書局」，是個印地圖的出版社。結果解放以後，他的成分就變成了資本家，這個很糟糕，對他後來還是有影響的。

1948年，中央研究院第一批選院士有81人，最後一個是考古學的郭沫若。* 郭沫若是左派，當時爭議很大，胡適説：「中研院看重的是學術，只要對學術有貢獻就應該選上。」所以也有他。歷史組當選了六

* 次序上，郭沫若未必最後一個，卻是最有爭議的人選之一。

個人：柳詒徵，二陳(陳寅恪、陳垣)，傅斯年，顧頡剛，董作賓。解放以後，中央研究院改為中國科學院，第一批學部委員有233人，相當於院士了。留在大陸的原中研院的那批院士中，只有幾個沒有入選，一是植物學家胡先驌。解放前，他做過江西中正大學的校長，反對白話文，被認為是個老頑固，又是國民黨，所以沒有要他。* 另外一個就是顧頡剛。

我想也是政治的原因。像馮友蘭，以前他是一級教授了，是國民黨主席團裏的一員，政治地位相當高。剛解放的時候，一度把他連降三極，成了四級教授。†

顧先生是大名人了。解放後，周恩來把他請到北京，就在歷史所工作，點名請他主持標點《資治通鑒》。那是個非常浩大的工程，請了全國幾十位大專家，傳說這個任務是毛本人交代的。毛對中國的古書非常有興趣，對《資治通鑒》當然尤其有興趣。司馬

---

* 此處疑有誤。胡先驌出身官宦世家，忠於清室、不滿維新，雖兩次留學美國，依然守舊。反對新文化運動、反對五四運動，反感革命，曾當面批評蔣介石的種種過失。但解放後，卻連聲「蔣匪」也不願意罵，「交心」時連說了二十九個「不滿意」。所以，被誤認為是「國民黨」，「消極對抗」思想改造，檢討屢屢不能通過。1955年選聘學部委員，原中研院留在大陸的59位院士中，兩人已故，十一人落聘，胡先驌是其中之一，並在1957年增聘中再次落選。參見胡宗剛：《不該遺忘的胡先驌》(長江文藝出版社，2005)。王揚宗：〈落聘學部委員的原中研院院士〉，《中國科學報》2015年6月26日第六版。

† 此處疑有誤。二十世紀五十年代教授分級，馮友蘭、季羨林、劉文典同為六級教授，可謂「連降五級」。參見屈寧：〈1950年代的教授分級與史學大家〉，《中國歷史評論》2014年第2期。

光編《資治通鑒》有個非常強的班子，幾個當時最有名的史學家幫他一起完成，記載的都是歷代的政治鬥爭，大概這個對毛是非常有用。

顧先生本來想把《尚書》整理出來。因為「五經」裏邊《尚書》最為難讀，都是古代的官方文獻，佶屈聱牙，詞句非常古奧，歷代都是問題最多的一本。顧先生想把它加上註解，翻譯成白話。不過總是時幹時停，不斷的有任務分派，所以始終沒有完成。當時歷史所的一把手是黨委書記尹達，他是歷史學界左派的一面旗幟。而顧先生是右派的一面旗幟，意見不能相融，所以兩人關係總也處不好。不過我覺得，尹達在一些地方做得太小氣。就好像劇團演出一樣，把梅蘭芳、馬連良等等五湖四海的名人都網羅來，不也壯大了自己的聲勢？何必管他的政治立場如何。

1957年「反右」，到處都在貼大字報。顧先生也寫大字報做自我檢討，一貼就是三十六張，整個一面牆都貼滿了。我只記得裏邊有幾句話很有意思，他說：反右以來，看到許多熟人成了右派，我是「漏網之魚」。他竟自命「漏網之魚」，我覺得挺好笑的。果然，到文革的時候也把他揪了出來。

顧先生喜歡寫日記，而且寫得十分詳盡，這是清代樸學家的作風。結果抄家抄出一大摞，解放前的、解放後的。作為一個大名人，總免不了發牢騷，日記裏隨便找出一句話就可以上綱。於是，歷史所成立了專案組，說他是「反共老手」，舉行聲勢浩大的批鬥會，「打倒顧頡剛！」、「打倒顧頡剛！」眾人齊呼，聲震屋瓦。幸虧歷史所還文明一點，沒有動手，不然打了也是白打，恐怕他吃不消。比如有位老先生叫蒙文通，是四川大學的教授兼任歷史所研究員。他有一句口頭語，看到某某人的做法覺得不應該，就說這個人該「打屁股」。於是，文革的時候在四川鬥他，就真對他打了屁股。那時候他已經七十多歲了，還要當眾受這種侮辱，而且打的非常狠，就這麼死了。*

另外，鬥「牛鬼蛇神」的時候有個「傳統」，每個人都要自動報名。比如問到俞平伯，問：「你是甚麼人?!」

---

* 蒙文通(1894–1968)：名爾達，字文通，四川省鹽亭縣人，歷史學大家，著《古史甄微》、《經學抉原》等等，廣博精深，近世大家少有出其右者。三十年代曾執教北大，與湯用彤、錢穆過從甚密，人稱「歲寒三友」。文革期間，受到非人折磨，「白晝縶縲於『牛棚』之中」(蒙默語)，「負傷歸家，旋即病卒」(吳天墀語)，參見蒙默編：《蒙文通學記》(三聯書店，2006)。文中所提「打屁股」一事，沒有記載。四川大學考古學張勛燎教授，乃蒙文通弟子、蒙默生前摯友，在電話中予以證實，又以耄耋之軀，親訪蒙文通長媳張祥龍女士，寫下業師受迫害致死的經過。整理如下：

「1968年7月，紅衛兵多次將先生作為『反動學術權威』弄去批鬥。文通師過去是個『美髯公』，非常珍愛自己的鬍子，被紅衛兵一綹一綹拔掉，扯得滿臉是血。不久之後的一個上午，又把先生弄去猛打屁股，傷痕纍纍，直到下午才放行。回到家中，先生身心傷痛已極，蜷在床上『哎喲』、『痛啊』連聲叫。屁股上的血已凝乾，褲子黏着皮肉脱不下來，師母、蒙默和老保姆三人費了許多周折，一邊哭一邊慢慢往下剝。先生一直不肯吃飯，兒媳偷偷找了熟人給他輸液，但終因不堪凌辱折磨，身心傷痛過度，於8月1日含恨去世。家中至親，除長子蒙默、幼子蒙遜，無人敢去火葬場告別。一代大師，就這樣走了。」

2015年，巴蜀書社刊印六卷本《蒙文通全集》，紀念先生120週年誕辰。

答：「我是俞平伯，文學所的研究員。」

「甚麼罪狀?!」

「我寫了很不好的書。」

「你寫了甚麼書?!」

「我寫了《紅樓夢研究》。」

於是就給他戴一頂「牛鬼蛇神」的帽子。

批鬥顧頡剛的時候也是這樣，問：「你是甚麼人？」顧頡剛答的很有意思，説：「我是歷史所的一級研究員。」當時歷史所一級研究員只有兩個人，一個侯外廬，一個顧頡剛。但那種場合還揚出自己的「一級」身份，總不太合時宜，所以被大家傳為笑柄。

直到文革結束，顧先生才算翻了身，做了人民代表。有一次我和歷史所的何高濟聊天，開玩笑説：「顧頡剛是向蔣介石獻九鼎的人，怎麼能做『人民代表』呢？」何高濟説：「正因為他獻了九鼎，所以他能代表人民。」我問為甚麼，他説：「我們就是要讓臺灣看一看，向蔣介石獻九鼎的人還能代表人民，這是多大的號召力呢。」這一點我沒有思考過，或許出於統戰的需要？也不是沒有可能。顧頡剛晚年大概一直很不開心，八十多歲去世了。

關於顧頡剛一生的功過，應該説，首先他是愛國的，而且十分愛國。「五四」時反傳統有功勞，領導了一個疑古學派，對於神聖的傳統大膽懷疑。雖然也有過了頭，對古代否定得太多，但對思想解放有很大的貢獻，不失為學術界的一個重要領袖。而且，顧先生是個很有眼光、多方面的大學者，開創了民俗學的先河。雖然晚年的社會情況有所變化，只做了些標點古書的文字工作，但畢竟也很重要。另外還有一點，顧先生和胡適一樣，他也喜歡培養青年，侯仁之、楊向奎、楊寬、史念海、譚其驤等等都是他帶出來的，功不可沒。

3. 明史專家謝國楨先生

謝先生的專長是搞南明史，是全國的權威之一，差不多同時代的專家還有柳亞子、朱希祖等人。記得文革前有一次開會，賀昌群說：「您這位明史史料專家……」謝先生馬上說：「啊呀，我不是甚麼專家。」賀昌群說：「所以我說你是『史料專家』。」意思是：我們這些人只能搞材料，真正的學者是高舉馬列主義的，我們都不配。

第一次見到謝先生是在華北人民革命大學，雖然偶有相遇，只是我認得他、他不認得我。畢業後，他到南開教書，我去了北京圖書館工作。1956年黨中央號召「向科學進軍」，差不多同時，我們都調到了歷史所。他在明史室，我在思想史室，但並不熟。直到1968年，我和顧頡剛、謝國楨兩位老先生同在一個牛棚裏關了幾個月。

顧先生是史學界的元老，我中學時候就讀他的文章，差不多是太老師了。謝國楨也是我的前輩，仨人同關在一間小屋子裏，對我是個很好的請教機會。那時候，一般關進牛棚的就不許回家了。但是顧先生年老體衰，加上名氣又大，晚上准許他回家住。每天早晨，他夾一個布包回牛棚，中午的時候打開，裏邊是一個燒餅、兩塊豆腐乾。我們給他倒一碗水，這就是他的午飯。可是顧先生從來都正襟危坐，也不看書，也不說話，愁眉苦臉的一言不發。我們也不好打攪，結果白關了幾個月，沒說上幾句話。

謝先生倒非常豁達，關進牛棚也泰然自若，好像滿不在乎。有人看守就低頭學習「小紅書」，沒人時就東拉西扯，談笑風生。當時我還不到五十，叫作late forties。謝先生大概比我大二十多歲，沒有人的時候，我就偷着跟他胡扯，也算苦中作樂了。

謝先生是老清華國學研究院出身，畢業後做過幾年梁啟超的秘書和梁家的家庭教師。清華國學研究院前後辦了四年，總共畢業了大概不到一百人，至少有半數以上都成了知名學者，謝先生是其中之一。

1909年京師圖書館(今北京圖書館)成立，1925到27年梁啟超兼任館長，謝國楨就在那裏工作。現任館長任繼愈先生曾對我講，圖書館剛成立的時候，一個月的經費總共才兩千塊錢，可梁啟超一個人的工資就有一千。謝國楨在京師圖書館研究金石和古代史，工作悠閒，比較適合他。沒過多久，傅斯年介紹他去中央大學歷史系做專職講師，每月二百八十塊大洋，可謂待遇優厚，對於一個剛畢業沒幾年的青年來講，就非常了不起了。為甚麼呢？因為傅斯年和他的班子都是北大的，中央研究院設在首都南京，而南方的史學界都是中央大學柳詒徵弟子的地盤，傅斯年就希望有自己的人打進去。可是沒想到，謝國楨去了以後和那些「柳門弟子」關係處得很好，根本沒起到作用。

1937年盧溝橋事變，北京淪陷。大家都往西南跑，謝國楨也去了長沙，像北大、清華、南開就是在那裏組成的臨時大學。不過，謝先生不屬於為國為民獻身、熱血青年的那種人，而是喜歡吃喝玩樂，老一輩名士風流、公子哥的稟性。在長沙生活上不習慣，想家了，於是別人都往內地跑，他卻回了北京，回到北京圖書館。當時的北京圖書館也分家了，一部分人帶着圖書到昆明，於是他就受邀在(偽)北大教書。

幾年後，謝先生去了上海，在大中銀行工作。就我的印象，舊社會對商人一般是看不起的。所謂「士農工商」，把商人排在最後，認為他們惟利是圖，整天就想着賺錢。只有銀行界的人喜歡附庸風雅，寫字、繪畫、玩古董，捨得花錢，也需要一些學者參與，或者掛名。此前，謝國楨寫過一些東西，已經有了名氣，其中一篇〈明清之際黨社運動考〉，魯迅在文章裏都有推薦。* 過去我們常說，孔子是至聖，孟子是亞聖。解放後，毛澤東被看作至聖，有一種說法魯迅是亞聖，能被魯迅推薦是很了不起的。所以，這篇文雖然不是謝先生最得意的作品，卻讓他得意了一生。

* 《且介亭雜文二集·「題未定」草(九)》中，魯迅曾讚揚該書「鉤索文籍，用力甚勤」。

謝先生因為甚麼進了牛棚呢？1946年，他的父親死了，謝先生回河南老家奔喪，途經解放區時見了范文瀾，當時是華北大學副校長。* 范文瀾給了謝先生一筆錢託他買書，不過他在用這筆錢的時候吃了回扣。其實，回扣在舊社會是公開的，相當於今天的勞務費，是很自然的事情，一般不算貪污。結果解放後被人揭發了，說他貪污解放區的血汗錢。而且，因為他在日偽佔領區工作過，雖然不在偽政府裏，但也被定為文化漢奸。他自己倒無所謂，漢奸就漢奸吧，貪污就貪污吧，一概供認不諱，從不爭辯，也從不抱怨。

當然這樣也好，不過每個人的反應不同，並不是所有人都能挺過來。西南聯大化學系有一位老師叫高崇熙，教分析化學的，要求學生非常嚴格，也是老清華出身，年齡和謝先生差不多。據說，他實驗室所有的藥品都只編號而不寫名稱，所以只有他知道是甚麼藥，別人都沒法用。解放後，高先生仍在清華，「三反」的時候反到他頭上，傳說是貪污了化學系的藥品，結果就自殺了(1952)。大概在高級知識分子裏，他是自殺的第一人。

謝先生的祖籍好像在江蘇，父親在河南做過知縣，所以他從小生長在河南，一嘴的河南話。牛棚裏

* 此處疑有誤。1946年，河北邢台市成立了北方大學，范文瀾任校長。1948年，華北聯合大學、北方大學合併，成立了華北大學，范文瀾任副校長。此處或年份有誤，或范文瀾身份有誤。

無事可做，沒人管的時候，謝先生就跟我扯七扯八。有一次談到聽戲，他跟我講：「赤壁之戰那年，諸葛亮二十七歲，周瑜三十四歲。」我沒研究過他們的歲數，不過我知道，京劇裏諸葛亮是老生、周瑜是小生，正好完全相反。聊得正歡，有人在外面大吼一聲：「好好學習！」我們趕緊低頭，繼續學習「小紅書」，但不一會兒又聊了起來。

又一次，謝先生講起在清華國學研究院做學生的事。說有一年夏天的晚上，大家圍着梁啟超一起喝茶乘涼，有個同學問：「梁先生，您是個學者，怎麼就幹起政治了？還幹了一輩子？」一句話打開了梁啟超的話匣子，講他如何如何幹了政治等等，一講就講到了第二天天亮。我感覺那些材料太寶貴了，要能記錄下來，該是多麼可貴的史料，就老慫恿謝先生寫下來，可他始終也沒動筆。

謝國楨是喜歡玩樂的那種人，其他的好像一概不放在心上。和他在一起總讓人覺得開心，也很放心，至少可以暫時忘掉一些當前的苦惱。

比如他一生好吃，牛棚裏經常大談特談甚麼東西好吃。我問他：「您吃了一輩子，到底哪頓吃的最好？」他說：「啊呀，要說最好的，就是1933年的那一次。」那年法國漢學家伯希和到中國來，傅斯年是當時中研院史語所的所長，在北海仿膳請客，謝先生也參加了。那一頓吃的怎麼好呢？據他說，仿膳是按照宮廷的方式，上的都是宮廷菜。而且，每上一道菜都換一道酒，喝不同的酒配不同的菜。所以，上了十幾道菜就換了十幾遍酒，怎麼怎麼好極了，説得眉飛色舞，讓我聽得也要流口水。

後來我又問：「您説，現在甚麼東西最好吃？」他説西單商場裏有個峨嵋酒家，裏邊的乾燒魚最好。於是我説：「等咱們甚麼時候回了北京，我一定請您吃一次乾燒魚。」果然後來回北京，有一天他來找我，因為我家離西單商場很近，就請他去峨嵋酒家吃了一頓乾燒魚。我倒沒覺得真就那麼好吃，不過，只要他喜歡就行。

現在一些人寫回憶錄，也不説真話了。比如我看到一篇，説文革開頭時候，有一次命令謝國楨和顧頡剛去搬磚。兩個人年紀都很大了，謝先生又胖，行動特別不方便。但謝國楨這個人很幽默，一邊搬一邊説：「我們倆就像《空城記》裏掃城的老軍。」這完全是不可能的事。因為文革最初的階段空氣極其緊張，隨便哪句話拿出來都可以成為罪狀，在那種壓力之下，怎麼能公開的講笑話？

而且，謝國楨被抄家、被鬥過好幾次，都是莫名其妙的。有一次讓他抄大字報，他抄錯了一個字。這在文革是很嚴重的問題，等於歪曲黨的政策，立刻被打成「現行反革命」，還到他家裏，把謝師母也揪出來一起鬥。還有一次去抄他的家，抄出兩個神主牌。一般舊社會家庭都有這種東西，用木頭雕的一個小閣子，裏邊放個牌位。前清時候寫的是「天地君親師」，到了民國改成「天地國親師」，左右兩邊寫上祖先的名字，「先考××」，「先妣××」，放在正屋裏，逢年過節都要磕頭祭拜。這在過去是很普通的東西，抄謝先生家抄出兩個，於是鬥他的時候，就叫他一手舉一個站在主席臺上。

那時候，我已經戴了反革命的帽子，所以坐在最後一排，旁邊就是工宣隊的領導。謝國楨本來很胖，年紀又大了，還舉着這麼兩個東西，晃晃悠悠的，樣子確實很可笑。那個工宣隊的領導就用胳膊捂着臉，咯咯咯悶笑個不停，這一點讓我很反感。你是工宣隊的領導，是不是認為應該這樣做？如果應該，那麼這是一場嚴肅的階級鬥爭，有甚麼可笑的？如果你認為就是要演滑稽劇，那你就是對文化大革命最大的侮辱。用這樣的人來領導一場大革命，簡直是荒唐。所以有時候我想，假如這就是我們工宣隊的水平，那麼也許，中國的工人階級還不配實現偉大領袖的偉大理想。

最後還有一件事情不得不說。鬥謝國楨的時候有一條罪狀，說他坐公共汽車不買票，被售票員抓住了。於是工宣隊給他畫了一張畫，在一個大錢孔裏畫上他的頭，諷刺他一頭鑽到了錢眼兒裏。我不知道是否真有其事，再說偶爾忘記了，或者因為車上人多沒有買到票，都情有可原。1982年謝國楨去世，遺產有四萬塊錢，大概比現在的八十萬都不止了。謝國楨遺囑，將四萬元遺產全部捐獻，據說他的女兒對此都不滿意。我不知道一個將畢生積蓄都捐給國家的人，怎麼會計較五分錢的車票？難道他真的吝嗇？

謝國楨從沒辯解過。

4.「四大金剛」

思想史研究室由侯外廬先生負責。和其他室不同，我們不是個人研究，而是作為侯先生的助手，進行「集體作業」。主要的理論框架都是他的，而且已經建構好了，我們的工作就是找材料來填充，所以他讓幹甚麼我們就幹甚麼。我的年紀最大，剛來時候三十五歲，其他幾位都是二十出頭的小青年，叫作「實習研究員」，一個月拿56塊錢。後來又招研究生，前前後後大概有七八個人，也幫着幹點活兒，但主要是來進修的。再往後，就是文革的那批大學剛畢業的年輕人。

那時候，侯先生有四位得意門生，張豈之、李學勤、林英和楊超。我聽組裏的一位老先生說：「我們組有四員大將：林英的組織(他是黨小組長，負責組織工作)，張豈之的文章，李學勤的材料，楊超的理論。」這四位是侯先生最得力的助手，學問都好、聰明能幹，除了楊超自殺外，其他三位現在都是大名人了。

確實，侯先生在挑選人才方面很有眼光。他帶的年輕人不僅一個博士沒有，有幾個連學歷都沒有。李學勤只在清華哲學系唸了幾個月，林英大學沒畢業，楊超也只唸了一年大學。可是侯先生看他們有才，就把他們吸收進來，這和現在的體制大大不同了。這四位才子也的確幫他做了許多工作，《中國思想通史》第四卷主要就是他們的功勞，最後由侯先生統稿。

不過批侯先生的時候貼大字報，這「四員大將」就變成他手下的「四大金剛」了。

楊超給我的印象非常好，他搞的佛學在當時幾乎沒幾個人懂，可稱得上是絕學。學問好、為人好，德才兼備，非常之難得。唯一的缺點就是太認真，真正鑽研馬克思的原著，真誠領會上面傳達的精神。別人可以跟演戲一樣隨風轉，他卻來真格的，每次發言都是肺腑之言。比如在臺上，有的人說自己「罪該萬死」，他是決不會這樣說的。

另外還有一點，楊超有神經病。不過所謂天才，無非就是腦子比別人都靈，也許表現出來就是神經病。這裏說兩句旁的話，我們室有四個神經病——比例似乎高了些，其中一個是研究室的副主任高全樸。他是軍隊復員來的老革命，據說他的病是延安整風落下的。70年代，有一陣子我們天天到北京摩托車廠勞動，有一天，他突然就在車間裏自言自語起來。因為只有我和他兩個人，起初我並沒在意。後來他的聲音越來越大，而且不講中文，但也聽不出是哪國文，我就知道他犯病了，趕快叫別的同志來。高全樸瞪着眼睛，問：

「你是誰！」

人家說，我是某某某。

他大嚷起來：「不對！你老實交代，你是誰！」

於是，大家趕緊把他送到醫院。楊超的病和他不同，大概是先天的。不犯病的時候腦子比任何人都好，讀書、寫文章常有自己獨到的見解，犯起病來就不知所云。

楊超家離我家很近，走路用不了十分鐘，而且我們的關係很好，彼此經常串門聊一聊。有一次我對他說：「文革今後怎麼樣，誰也不知道，也可能我們就不在一起了。作為臨別贈言，我要勸你兩句。我以為，你不適宜做一個職業的政治活動家，千萬不要把自己陷得太深。」解放後的歷次運動他都真誠參與，對馬克思主義是認真對待。我相信，他不是做政治投機的那種人，包括文革一開頭參加造反派，那也是真心的。但有時候實在難以分辨誰對誰錯，別人的話是真是假也很難說，何必攪在裏邊？所以，我的態度是能躲就躲，也勸他不要參加那些運動，可是他並沒有聽我的意見。

1968年底，或者1969年初，正是抓「五一六」的時候，凡被點到的幾乎沒有不承認的。可是他不承認，是極少數中的一個，而且拒絕交代別人。寫了一張紙條：「我不是『五一六』，我不知道誰是『五一六』。」自殺了，年僅三十九歲。

楊超的死給我觸動很大。社會進步應該有一個淘汰的過程，擇優汰劣。可是我們正相反，德才兼備的往往做了犧牲，反覆無常的人倒得其所哉。比如歷史所有個人坦白，說自己畫了中南海的地圖，準備挖地道進去搞破壞。這樣的人倒被表彰，而且後來做了政協委員、政治學所的副所長，拿政府的特殊津貼。這豈不成了社會的反淘汰？

如果一個社會要以犧牲優秀者為其進步的代價，就未免太殘酷不仁了。

林英是老黨員，解放前就是地下黨，當時是我們黨小組的組長。文革一開頭，中央文革扶持造反派，到處造當權派的反，凡作領導的都跑不了。所以他是我們室最早被揪出來的，不但因為他是「侯外廬的大弟子」，而且還是歷史所黨委書記尹達下面的「八大金剛」之一。這「八大金剛」還包括林甘泉、酈家駒、田昌五等等，大概都比我小五六歲，不僅都是黨員，而且大多是黨委，是真正當權的人。林英兩邊都佔着，所以後來我就笑他是「雙料的金剛」。記得幹校回來的時候，我看他辦公室的書架上空空如也，只有一個大帽子、一個牌子，都是鬥他時候戴的東西，就問：「你還留這個做甚麼？」他說：「我現在想開了，無非就是戴帽子、掛牌子。所以先留在這兒，指不定哪天還用得着。」就是說，反正我已經戴了帽子，將來不過如此，無所謂了，再也不必處處小心謹慎。

林英是個性挺強的一個人，往往和別人的關係搞不好，很多青年認為他官僚架子十足，做事主觀，態度也不好。後來政治學所成立，林英被調去做副所長，和所長嚴家其的關係搞不好，又調到宗教所任副所長，和所長任繼愈的關係還是搞不好。不過在我看來，林英有個很大的優點，從來不造謠。哪怕觀點是錯誤的，但他從來只說真話，這就很難得了。包括我戴了「反革命」的帽子以後，他也從來沒說落井下石。所以我倒和他很要好，相處二十年，彼此甚麼話都說。

另外還有一個冒懷辛，是冒辟疆的後代，而且是嫡系，他的祖父冒廣生是清末民初有名的名士。所以在我們歷史所同輩人中，冒懷辛的舊學根底是最好的。有一次跟我發牢騷，說：「怎麼這些人(指所裏的某些青年)甚麼都不知道，連錢謙益都沒聽說過？」於是我就勸他，說：「時代不同了，你是世家子弟，你知道的別人未必知道。……反過來我問你，《金光大道》你知道嗎？」文革時期書很少，浩然的《金光大道》是當時最有名的一部小說，很多青年都在讀。我雖然沒讀過，但至少知道有這麼一本書。冒懷辛比我小三歲，可是他連書名都不知道，我就以此勸他。

張豈之在歷史所是兼職，經常要回西北大學，我和他並不熟。所裏其他同事上班不是很嚴格，只有我和李學勤幾乎天天上班，天天見面。不過我和楊超、冒懷辛、林英的交往更多一些，也更友愛，因為我知道他們不會出賣我，彼此交往都沒有警惕。

李學勤比我小十幾歲，自學成才，非常聰明的一個人，跟風也跟得緊，這一點很難做到。比如運動裏幾乎人人挨整，林英被整，楊超自殺了，張豈之回西北大學也被整得很厲害，唯有李學勤沒有挨過整，這是非常少見的。

聰明是李學勤的一大優點，可是他的缺點也在這裏。聰明過甚，思想變得太快，往往也就沒有自己的思想了。所以我想，他的思想改造應該相對容易。比如那時候，李學勤是批判組組長，顧頡剛就是他批的。他把顧頡剛先生的日記都看了，掌握材料非常詳盡，然後作為罪狀拿去批鬥。這樣的事情，如果換作我，我是做不出來的。

後來李學勤離開我們室，去搞先秦史，現在是首席科學家了。關於他的爭論非常之多，我也不太清楚。我以為，他是非常聰明的一個人，所以能夠一帆風順。說到這裏，我又要為楊超惋惜起來。他就是太認真了，也是非常聰明的一個人，難道你就看不穿？

幾個學術問題

1. 從「傳教士功過」談學風

五十年代末，劉少奇當政的那幾年是相對比較穩定的，業務逐漸恢復，我也幹了幾件正事。其中之一，就是協助侯外廬先生，完成那套《中國思想通史》裏有關明末清初中西文化交流的那一章。侯先生吩咐我的時候，只是説幫他找資料，於是我就寫了一份相當於長編的材料。在這一點上，我非常感謝向達先生。

向先生也是我的老師，他是搞中西交通史的，現在叫作「中西文化交流史」，作學生的時候，我上過他的印度通史。過去西方研究中國，即所謂漢學，最初就是他們的學者到中國來，用不多的一點錢撈了一批材料回去，藏在大英博物館、法國國家圖書館等等地方。向先生三十年代去英國、法國，費了不少的工夫手抄了很多珍貴的材料，如《破邪集》等等。後來，他把這些材料交給我們室，讓我得了許多方便。我把包括向先生的這些材料整理出來，夾雜了自己的觀點交給侯先生。沒想到他很欣賞，直接做了些修改就作為正文了，也很出乎我的意料。

關於這段歷史，我找了一些材料。不過一直到現在，我的觀點基本上和幾乎所有研究這個題目的人意見都不相同，也許我的想法是不合時宜的。

解放前，搞這方面課題的人大致有兩種角度，一種是天主教方面的研究。比如輔仁大學，那是教會學校，他們的研究當然都是讚美，教徒不會罵自己教會的。還有一種是學者型的，比如向達先生。他雖不是天主教徒，但也總傾向於正面的肯定，說西方的傳教士給中國帶來了科學與技術，我們中國人又是如何接受的，等等。比如金雞納霜(奎寧)，康熙當時犯瘧疾，西方的教士把這種藥介紹進來，果然很有效果，直到我的小時候還用過這種藥。凡此種種，大都是對這段歷史的肯定。

解放後的說法翻過來了，傾向於把這些都說成是「帝國主義的文化侵略」。不過我覺得，這個提法本身似乎就有問題。首先，帝國主義是甚麼時候形成的？按照列寧《帝國主義論》的經典定義，帝國主義是資本主義發展的最高階段，1870年左右逐漸出現了壟斷資本主義，這是帝國主義的開始。要這麼算的話，明末清初時帝國主義還沒有形成呢，談何帝國主義的侵略？還有，文化的接受是自願的。比如我小時候，好萊塢的電影傳了進來。誰也沒強迫你必須去看，完全是自覺自願的，談不上「侵略」，最多只能是說它宣揚了資本主義的優越性。

等到改革開放以後，關於「中西文化交流」這一題目的看法又變了，又變成肯定的了，說是明末清初的那些傳教士如何如何之有貢獻，還包括介紹了哥白尼。確實，傳教士是提到了哥白尼的名字，但決不是介紹從哥白尼開始、到後來由牛頓完成的近代科學體系。不能說，提了哥白尼的名字就是介紹哥白尼。比如國民黨反馬克思，在報紙上批「甚麼馬克思、牛克斯」，按說也提到了馬克思的名字，難道這就是介紹馬克思嗎？

就我當時掌握的那些材料來看，我始終認為，對於明末清初那些傳教士的所謂「貢獻」，無論從世界觀、還是方法論，都是不能肯定的。

的確，明末清初有了文化交流，而且的確也有成績。比如現在的圓明園，裏面還保留着西洋樓的遺址，把西方的建築風格帶給了我們，不能說毫無價值。金雞納霜之類也值得肯定，但那不是最根本的問題。

從明朝末年起，中國面臨的正是西方近代化的開始，先是宗教改革，接着是科學革命、工業革命。科學上，以牛頓為代表的近代科學體系已經形成，還有培根的實驗科學，笛卡爾的數學推理方法、嚴格的邏輯思維，一直到十八世紀分析學派。思想上，從洛克的政府論，盧梭論人的自由平等、社會契約說，到美國的獨立宣言，民主體系也在逐步形成。西方世界大踏步地走上了近代化的征程，如果中國從那個時候起也走上近代化的道路，那麼最需要的就是近代的科學和民主體制。這是近代化最基本的兩個組成部分，傳教士沒有、也不可能把這些帶給中國。雖然他們帶來了一些零碎的科學知識，但基本還停留在中世紀的水平上，沒有實驗，沒有嚴謹的推論，而這恰恰是近代科學的兩大基本要素。

尤其糟糕的是，這批傳教士是天主教舊教，死守中世紀正統的經院哲學教義，反對宗教改革(counter-reformation)，反對從哥白尼開始的近代科學體系。天主教會把伽利略關到監獄裏，強迫他懺悔，承認自己「誤信了哥白尼的邪說」。一直到1992年，羅馬教皇才正式給他平反。再比如十九世紀初年，即鴉片戰爭之前，中國的一個大官阮元，也是一個大學者，《皇清經解》就是他編纂的。而且還是個大科學家，編了一部《疇人傳》，把他所知道的古今中外的數理科學家做了一個總結，算是中國十九世紀初年最完備的一部數理科學史。書裏提了哥白尼的名字，但他是作為反面典型來介紹的，說：竟然有的洋人認為天不動、地動，簡直是荒唐。*

換句話說，像阮元這麼一個大科學家，對於近代科學依然一無所知。可見，明末清初的這批傳教士並沒把近代西方最先進的東西傳進來。他們帶來的只能

* 康熙十三年(1674)，傳教士南懷仁用中文編繪了巨幅世界地圖《坤輿全圖》。1760年，傳教士蔣友仁增補後，作為壽禮獻給乾隆，其中就介紹了哥白尼的日心說等等。雖博得一時歡喜，卻無人能識。1799年，《坤輿全圖》中的解說文字以《地球圖說》之名刊行。阮元為之序，卻告誡讀者，對日心學說「不必喜其新而宗之」。又在《疇人傳．蔣友仁》中，稱它「上下易位、動靜倒置，則離經叛道，不可為訓」，始終拒絕接受。

是中世紀正統的天主教神學，而這恰好是西方沒落的、被拋棄的東西。從這個角度來看，我對這批傳教士的貢獻評價不高。充其量只能算是宮廷裏的技師，叫作「待詔」，給皇帝修修鐘錶、建個房子之類。

當然，中國也有自己的局限性。比如人家派傳教士來，為甚麼我們不能派一批中國的知識分子到國外考察？一直到從嚴復起的那一批人，才逐漸把近代思想傳入中國，但那已經到了清朝末年，晚了差不多三百年。

也許我的這種觀點不合時宜，一直到現在，史學界不少人還把這段歷史評價過高。當然從某種程度上講，這也是市場經濟推動的結果。改革開放以後的學風一方面受政治影響，另一方面又摻雜了物質利益的驅動。肯定了人家，國外基金會之類就願意出資，邀請你出國開會，甚至於給你個國外的獎項、拿些獎金或資助。

《儒林外史》裏有一段非常深刻。有個叫馬純上的，專攻八股文，有一個年輕的朋友蘧公孫和他辯論，說：「你們讀聖賢書，孔夫子甚麼時候作過八股？」馬純上反駁道：「老弟，你這個話就不對了。孔夫子是聖人，聖在哪裏？就在一個『聖之時』，貴在與時俱進。他老人家生在春秋時代，就要棲棲惶惶周遊列國，游說世主。如果生在漢代，得做上兩篇賦，生在唐代得作幾首詩，生在宋代就得講理學。要是生在了今天，他老人家也得學寫八股。」接下來這句話最要緊，說：「不然，哪個肯給你官做。」*

大多數人總要走一條名、利的道路，這是不可避免的，不能強求每個知識分子都做顏回。所以，這種暗含了功利的學術研究也並不稀奇。

2. 也談馬克思主義

我們借用的，或者說繼承的，是馬克思主義。但究其實際情況，又和馬克思的最初設想大有不同。比如，馬克思高度讚揚巴黎公社，他設想的原則有兩條。第一，各級領導和普通工人在物質生活上一律平等，沒有特殊。而在我們，不同級別的幹部待遇大不相同。批鬥羅隆基的時候有一條罪狀，說他要爭取一輛「吉斯」牌的汽車，大概就是因為給他配的汽車不如「吉斯」牌的好。第二，各級別的領導被隨時選舉、隨時罷免，這一點我們基本沒有實現過。再比如階級劃分。

我鄰居家有個小孩，很小的時候就和我的孩子一起玩，所以很熟。文革後期，他大概也有二十歲了，一天跑到我屋裏，問：

「您說說，甚麼是無產階級，甚麼是資產階級？」

---

* 大意如此，參見《儒林外史》第十三回。又，孟子曰：「伯夷，聖之清者也；伊尹，聖之任者也；柳下惠，聖之和者也；孔子，聖之時者也。」意即：孔子為聖，在「識時務」，乃「集大成者」，見《孟子．萬章下》。

我說：「你是怎麼理解的？你先講講看。」

他說：「這回我是懂了：你聽我的，你就是無產階級；不聽我的，你就是資產階級。」

我說：「你的理解完全正確。」

如他所說，那時候我們已經沒有客觀標準了。

馬克思認為，社會經濟地位決定了一個人的階級成分，而我們卻是按「思想」來劃分：我是無產階級，我的思想是無產階級思想；你和我的意見不一致，那麼你的就是資產階級思想，你就是資產階級，這不是荒唐麼？解放前，至少你怎樣想是沒人管的。但是後來，我們把「思想」放在了第一位，而這恰恰違反了唯物論的原則。因為「存在決定意識」是馬克思最根本的原則，可是我們總強調「意識決定存在」，等於承認了「心」的決對作用。那就不算是純粹的「唯物論」了，至少也是二元論，或者調和論。而且像馬克思高度讚揚的巴黎公社，大多數都是無政府主義或布朗基主義者。按文革的標準，就應該都是反革命了。

再比如，馬克思對於偉大的政治人物，從凱撒到拿破崙，總是帶着譏笑諷刺的口吻，從不認為他們偉大。可是對文化巨匠，像但丁、莎士比亞、貝多芬，馬克思都高度讚美。恩格斯也一樣，他把帕格尼尼的小提琴、拉斐爾的繪畫看作是藝術的頂峰。但和馬克思、恩格斯不同，我們是要「破四舊」的，「徹底砸爛資產階級的狗頭」。

文革的時候反對「封資修」、「名洋古」，封建的、資本主義的、修正主義的，或者有名的、外國的、古代的，我們都不要。1970年，貝多芬誕辰二百週年，全世界都在隆重紀念，包括蘇修。前蘇聯的「三駕馬車」，勃列日涅夫總書記、波德戈爾內最高蘇維埃主席、柯西金總理，都出席了莫斯科大劇院的貝多芬紀念音樂會。其他的，像德國、美國就更隆重了。只有我們中國，一個字都不提，提的話就是「崇洋媚外」、「拜倒在資產階級權威的腳下」。這就等於宣佈，我們自外於世界文化的主潮，自己把自己開除了。

要知道，人類的進步是通過不斷積累，歷史文化的傳統是無法割斷的。列寧提到馬克思思想的三個來源——德國古典哲學、英國古典政治經濟學、法國空想社會主義，這三個都是資產階級的，而不是無產階級的。但馬克思吸收了它們的遺惠，沒有它們，就沒有馬克思主義。所以說，只有站在前人的肩膀上，我們作為後人才有可能繼續前進。可是，文革的時候提出「與舊傳統進行最徹底的決裂」，怎麼可能呢？

林彪出事之前，每年國慶都遊行。天安門前先過解放軍的隊伍，接着是工人隊伍、農民隊伍、文藝大軍、體育大軍，再就是科學大軍，前邊舉着大標語「科學為無產階級政治服務」。現在回想起來，這個標語恐怕是有問題的，並不符合馬克思的原意。

馬克思把他的主義叫作「科學的社會主義」，就是說：區別於空想的等等其他社會主義，他是根據科學得出來的。科學有自己的獨立性，對所有人一視同仁，應該是無產階級政治跟着科學走，怎麼能「科學為無產階級政治服務」呢？假如你跟資本家算帳，為了對無產階級政治有利，就說「2＋2＝3」，那不亂套了？用個術語說，實際上是犯了主觀唯心論的錯誤。在這一點上，林彪發揮的最淋漓盡致，說政治思想可以「一通百通」。其實，這個命題應該反過來說：首先得服從科學，然後思想才能搞通。國慶的標語也該反過來，叫作「無產階級政治服從科學」才對。

而且，科學沒有階級性。定理、法則一經提出就有了它獨立的生命，和它的「母親」沒關係。比如，古希臘有個畢達哥拉斯定理，講直角三角形斜邊平方等於兩個直角邊的平方和。中國也有這個定理，據說是古代的數學家商高最先提出來的，所以又叫商高定理。按照蘇聯的提法，畢達哥拉斯是「奴隸主階級的哲學家」，代表奴隸主階級的利益，那麼他的學說就是反動階級的反動學說。牛頓更不得了了，不但是資產階級，做過造幣廠的廠長，而且還是個神學家，晚年專門研究神學。但我們都學他的定理，這和他是哪個階級、是不是信仰上帝沒有關係。十八世紀法國的大科學家拉瓦錫是貴族出身，法國大革命把他也送上了斷頭臺。從政治上說，他是反革命。可是現在，人們都認為他是近代化學之父，這和他的出身沒有關係。

人類文化的進步就像孕婦分娩一樣，一旦生下小孩，就和母體脱離關係了，沒必要追究它的母親如何如何。可是，文革時候我們不這麼考慮，一定要把學術和它母體的階級成分聯繫起來。如果是這樣的話，人類的近代文明大多是資產階級分子創造的，就幾乎全要取消了。

另外，科學本身不是孤立的，它也是社會的產物，整個社會一定要有與之配套的機制才能實現。比如中國古代的知識分子都是作八股文考科舉，不依附皇權、不做官就沒他的戲唱。相反，做了官就甚麼都有了，榮譽、地位、財富、權勢等等。可是在西方，愛迪生有了發明，立刻可以變成大財主。比爾·蓋茨搞了微軟公司，馬上就能發大財。社會機制允許他們有發達的機會，同時促成了科學的發展與應用。但在中國傳統社會中，卻不大可能有這樣的機會。

近代化最核心的內容無外是兩個，一是科學，一是民主，這兩者是配套的。沒有民主制度，還停留在「一言堂」，大家都得聽我的，只有我説了算。或者還是篤信宗教，甚麼都是上帝的安排，科學還怎麼發展呢？最明顯的一個例子，五十年代初期，蘇聯生物學兩條路線的鬥爭，米丘林、李森科代表的是「無產階級的生物遺傳學」，而以摩爾根、孟德爾為代表的「資產階級反動的生物遺傳學」受到批判。結果到了赫魯曉夫下臺才揭發，説李森科是個學術騙子。所以説，科學本身需要民主的條件。各種意見都發表出來，愛因斯坦也可以被反對，只有這樣，科學才可能進步。

馬克思主義產生在先進的、科學的、工業化的社會基礎之上，馬克思所說的改造首先是社會改造。社會基礎改造了，作為上層建築的「思想」也就改造了——土壤變化了，生出來的東西自然不一樣。

但解放初期，中國還處在一個落後的農業社會階段，我們沒有很好的去做社會改造，反而把思想改造當成了第一位的任務。結果表面上搞的是馬克思，但骨子裏還是落後的農民思想。比如「人民的大救星」。馬克思講「勞動人民自己解放自己」，可是我們一定要立一個最英明領導，充當大救星的角色。實際上，這和馬克思的思想是相反的。

解放後，很多的事都讓我覺得困惑，可在其他人看來又非常自然。

比如把做官的叫作「人民的勤務員」，人民是主人，為官的都是僕人。但同時又強調「黨是領導一切的」，強調黨的絕對權威，就是說：主人要服從僕人。那麼究竟誰是主人、誰是僕人？這就造成了邏輯上的混亂。當時流行一本書，叫《把一切獻給黨》。* 我是主人，我把一切獻給僕人。黨說甚麼、我就聽甚麼，黨指到哪裏、我就走到哪裏。要這樣說的話，到

* 吳運鐸：《把一切獻給黨》(北京：工人出版社，1953年首版)。紅色經典，不斷被翻印。

底誰是主人呢？而且，人權是不能獻的，怎麼能把「一切」都獻出來？黨拿這「一切」去幹甚麼呢？如果不用來回報人民，豈不又回復到古代奴隸制了？

再比如「株連」。那是中國的傳統了，朱元璋興大獄，一殺就是幾萬人。到他的兒子明成祖殺方孝孺，誅了他十族總共八九百人。這個傳統延續下來，可以說是我們民族的文化傳統之一。

我有一個同班同學叫丁名楠，在近代史所。1953或者54年夏天，有一次我路過王府井，好久不見了去看看他。兩個人見面非常高興，免不了問起其他老同學的情況。我記得他手一擺，搖搖頭說：「這年頭，一分手就不要再聯繫了。」確實是這樣，因為無論誰出了事都會連累對方。等過了些年，牟安世從近代史所調到我們所。有一天勞動，我就和他聊天說：「老丁我很久沒見到了，最近怎麼樣啊？」他說：「哎呀，恐怕他出問題了。」接下來他說，有天早晨碰見老丁，以前每次見面都打招呼，可是這一次老丁沒理他，就猜想是出了問題。古話說「道路以目」，街上看見了不敢說話，用眼睛看一下就算打過招呼了。

文革時候更是這樣。比如我們的副所長酈家駒被揪出來了，一天中午在食堂吃飯，我正好坐他旁邊，於是就聊了幾句閒天。談的甚麼忘記了，不過不會是正經事。沒想到工宣隊的人把我找去，說：「你跟酈家駒吃飯的時候，都談了些甚麼？」那我哪記得？都照這樣，人與人之間就沒法説話了。

再比如，我們研究室有十幾個人，雖然前後有走的，也有新來的，但基本維持在十幾個人的樣子。文革前，室裏幾乎所有人都請侯先生寫過字，只有我沒請過。因為我總有一種預感，如果哪一天運動來了，假如侯先生出了問題，他的字我交不交呢？交了，還得繼續坦白，非常麻煩。反過來説，假如是我出了問題，家裏抄出侯先生的字，大概對他也是個拖累。當然，你可以説這是過分小心，可這樣的事太多了。

李輝寫了一本《胡風集團冤案始末》，裏邊有件事情給我印象很深。五十年代初期，一個十八九歲的文學青年寫了封信請教胡風，沒想到胡風親筆回了一封信。他當然非常高興，就把這封信保存了起來。等到後來抓胡風集團的時候，所有接觸過的人都要坦白，他也把胡風的親筆信交了出去。這下可好，用當時的術語説，「白紙黑字你賴得了嗎？」給他定了個「胡風分子」，也就是「反革命分子」，送去勞改，一關就是二十幾年。等放出來的時候，身體也垮了，這輩子就為了封信，為了素不相識的一個人，就這麼完了。*

所以我從來不寫日記，也不寫信。抄我家的時

* 據1980年的複查報告，1955年「胡風反革命集團」案共涉及二千一百餘人，「一封信，一次握手，甚至對某一位骨幹分子作品的喜愛，都可能招致打擊。」文中所指，或為一未署名的讀者來信。參見李輝：〈受株連的人們〉，《胡風集團冤案始末》(武漢：湖北人民出版社，2003)，第十四章。

候，帶頭的紅衛兵問：「你的信呢?!」我說：「我不給別人寫信，別人也不給我寫。」確實是這樣。我有個姐姐在臺灣，好多年我們都沒聯繫。她在哪裏我不知道、做甚麼我不知道，好像沒有這個人一樣。歷次運動我都沒法交代，這倒也省事了。

文革裏的荒唐事太多了，有的簡直荒謬絕倫。可是你要現在都抖出來，好像有點醜化。不但是醜化文革，還醜化了黨，因為畢竟是黨領導的。

比如一二十年前我到青島去開會，有個人跟我講，批孔的時候把康有為的墳刨掉，挖出屍首開鬥爭大會，鬥這個「死保皇黨」。康有為1927年死在青島，到文革已經死了四十來年，他們這樣做，是出於一種甚麼思想呢？中國歷史上有名的伍子胥報仇，楚平王已經死了，伍子胥把他的墳扒開鞭屍。再比如明朝末年，清兵幾次入山海關，都是掠了東西就回去。清朝是金人的後代，叫「後金」，南宋時候，金國有一個女真族名將叫金兀朮，他的墳埋在河北易縣。* 所以，明朝就把金兀朮的墳給刨了。

這些都是封建思想，我們現在都社會主義了，怎麼還去幹這個呢？我們到底是生活在現代、還是古代，難道無產階級的社會比資本主義社會還落後？

* 金兀朮墓地所在，至今無定論，有說在黑龍江阿城，又有說在河南汝州、北京房山(歷史上隸屬河北)。

中國過去是一個落後的農業社會，所以產生的是基於農業社會的思想。比如幫派意識、對於領袖的崇拜，再比如「自給自足」，以為從頭到尾都是自己製造就非常了不起了。出大力、流大汗、耐大勞，起早貪黑開夜車，其實這還是「面朝黃土背朝天」，落後的小農思想。列寧建立了蘇維埃共和國，打出的旗幟是鐮刀、斧頭，代表工農聯盟。我們接受的也是以工農聯盟為基礎的新政權，腦子裏的工人、農民就是以斧頭、鐮刀為代表的。不過我想，這種以鐮刀為代表的農民實際上是個沒落的階級。

我在維吉尼亞州參觀一個大農場，一望無際的田地只有夫妻兩個人管理。播種、收割、噴灑農藥，用的都是大型機器，原來意義上的鐮刀割麥子的農民已經不存在了。同樣，完全依靠拿着斧頭砍的工人也在逐漸淡出，逐漸也會消亡。我在美國參觀過兩個大的工廠，一個是波音公司，那是世界上最大的飛機製造工廠了，一個是紐約遠郊的通用汽車公司。我們坐着電瓶車在廠區裏走半天，幾乎見不到人。偶爾碰見一個，不過是負責按開關之類，並不是真正掄着斧頭幹體力活。

所以我想，作為舊的意義上的，以鐮刀、斧頭作為象徵的工人和農民，將來會逐漸走向消亡。隨着社會基礎發生了改變，我們的農業近代化了、工業近代化了，人的思想也會跟着變。這一點我是唯物論的。

再比如，直到今天，我們也沒有擺脱那種官本位的封建思想。在落後的農業社會裏，做官是知識分子唯一的出路，做了官就甚麼都有了，所以就拼命要做官。而在資本主義社會裏，真正發財的不是靠做官。幾年前，我到西雅圖看我的大姐，外甥跟我説：「西雅圖有三寶。」比爾·蓋茨的微軟總部、波音公司的總部*，以及星巴克咖啡的總部都在那兒，是西雅圖的三寶。這些人發財都不是靠做官，這和農業社會完全不同。

鄧小平説：「解放以後，我們沒有很好的反封建主義。」† 確實是這樣。

包括現在，我們還總要説：某某是幾級幹部、幾級職稱。我的離休證上就寫着「按局級待遇」。馮天瑜先生講笑話，説現在和尚也要折官，比如「局級和尚」、「處級和尚」。科學院也是這樣。如果你在科研上做出了成績，就必須給你個官，起碼是研究室主任，或者研究所所長。其實完全沒有必要。愛因斯坦那麼大的成績，在Princeton大學不過就是一個教授。我曾和他們開玩笑，説：「愛因斯坦要是到中國來，『教授』太低了，起碼得給一個『博導』。」「基辛格博士，這個也低了，得稱『博士後』。」

---

* 波音公司總部成立於1916年，曾是西雅圖的支柱產業之一，2001年搬至芝加哥。

† 鄧小平曾多次談及制度上受封建主義影響的問題，如1980年8月的《黨和國家領導制度的改革》，以及會見意大利記者法拉奇的談話。參見《鄧小平選集》，第二卷，頁334–338、347–348。

可見，我們的封建等級觀念實在根深蒂固，而且是官本位。不然怎麼不反過來，說「某某局長按照副教授級待遇」呢？我在歷史所的時候，人事處總共就仨人，一個處長、一個副處長、一個科長，三個都是「長」，沒有下屬。後來才我聽說，參加革命工作十年就是科長級，二十年是處長級，三十年就是局長級。* 論資排輩，還是官本位的觀念。八十年代初，有一天統戰部下達了一個命令，說：從即日起，沈從文改為副部長級待遇。於是馬上給他換了大房子，還配備了汽車。可惜他那時候已經住了醫院，一天也沒享受到。†

另外，中國文化有個特色，它以倫理為中心，而不是把真、善、美這三種價值並列起來。比如我們在藝術上，不追求唯美，而要為某種政治理想服務。其實，藝術從古至今很多都是唯美的。美本身就是唯一追求的目標，而不是其他利益，或者道德教訓。再比如科學。科學家追求的是真理，真理本身就是目的。但我們把科學看作手段，要為某種政治目的服務，這還是中國文化的精神。那是以倫理為中心的，而且在

---

* 根據國家的相關規定，公務員分為27個級別，按其表現、學歷和資歷得以晉升。但由於職位少、人數多，實際出入很大，許多人終其一生只是科員、辦事員。

† 略有出入。1949年後，受左翼文化界的衝擊，沈從文不再執教北大，被安排到歷史博物館做講解員，住房條件每況愈下。1978年調入歷史所，兩年後搬到社科院宿舍，才有所改善。1985年在胡耀邦的過問下，中央同意按部長級待遇解決沈從文的工資、住房及其他問題。不久，終以多病之軀入住四室一廳的新居，兩年後去世。參見顏家文：〈沈從文的住房問題〉，載《文學自由談》2006年第4期。

這一點上根深蒂固。總是說「要為××服務」，比如為人民服務、為國家服務、為集體服務，而不是為真理而獻身。

所以我時常想，雖然我們借來馬列主義，但實際上，整個社會還沒有真正改造。我們總是說「馬克思主義與中國的革命實踐相結合」，或者「與中國特色相結合」。從某種角度講，既是「大大發展了馬克思主義」，也可能是「大大改造(或者說歪曲)了馬克思主義」，骨子裏還是中國的舊傳統。僅僅是形式上的改造是遠遠不夠的，還需要有真正的社會改造。

3. 階級鬥爭一抓就，靈？

我以為，解放以來的前三十年，問題就在過分執着於階級鬥爭。「階級鬥爭一抓就靈」，結果把不是階級鬥爭的都以階級鬥爭來處理，這是最大的失誤。

最高指示裏說：除了沙漠，只要是有人的地方就有階級鬥爭。我想把它推廣一步，比如萬有引力。萬有引力定律是普遍存在的，不要說有人的地方，就是在沙漠那些沒人的地方，也得服從萬有引力定律。但，是不是可以用它來解釋一切，說「萬有引力定律，一抓就靈」？林黛玉一哭，眼淚就往下流。當然你可以說，這是萬有引力定律，但你能用它來解釋林黛玉為甚麼哭嗎？

任何理論都有一定的有效範圍，沒有任何一種藥是包治百病的。同樣，也沒有任何一種理論可以解釋一切。我相信，這個世界上有階級存在，而且存在階級鬥爭，可是不能無限擴大。甚至於喜歡吃辣就是革命的，喜歡吃甜就是資產階級的腐朽墮落，甚麼都上升到階級鬥爭的高度，那就過分了。

遼寧有個叫李淑蘭的射箭運動員，打破了美國人創造的世界紀錄。於是就宣揚她的事蹟，說她把美國人的紀錄掛在前面，每天「帶着階級鬥爭的意識去訓練」。如果這麼講的話，就有點奇怪了。要知道，奧運會裏得金牌最多的是美國和蘇聯。美國是帝國主義，蘇聯是修正主義，他們有那麼多的世界冠軍，又是甚麼掛帥呢？難道鈔票掛帥，或者修正主義掛帥？我以為，是階級鬥爭的問題要抓階級鬥爭，不是階級鬥爭的問題，恐怕怎麼抓也靈不了。

我有一個外甥在北大學法語，文革初期也下去鬥地主，而且「要和專業結合」。學法語的，怎麼結合專業鬥地主呢？說：

「我們用法語鬥他！」

於是把個老地主抓來，用法語對他一陣猛批。然後問：「你今天有甚麼感受？」

我相信那老地主一個字也不懂，可是他很會說話，說：「我受過很多次的鬥爭，只有今天印象最深刻。哎呀，最觸動我的靈魂。」

這不可笑麼？

還有一件事給我印象很深。歷史所有一個人，他的母親被自行車撞死了。按說自行車一般撞不死人，也許他的母親年老體衰，就這麼死了。我問身旁的一個人，這應該怎麼處理？他的回答很簡單：「那得看騎車的人是甚麼階級了。」如果無產階級，頂多說是無心的，反正沒甚麼大問題。而且要是撞死一個資產階級，那是好人撞死壞人，活該。但反過來，如果資產階級撞死一個無產階級，就不得了了，那是階級報復！

無論甚麼時候，真理過了頭就變成了荒謬。

世界上有階級之分，可不能甚麼都往階級上靠，那就荒謬了。彭真提出來「法律面前人人平等」、「真理面前人人平等」，後來就猛批他，「甚麼人人平等？資產階級、無產階級從來就沒有平等過，不是這個階級壓迫那個階級，就是那個階級壓迫這個階級」。撞死了人，就得看你是甚麼階級——要這麼說的話，就太過分了。

解放初期，全面學習蘇聯老大哥。「蘇聯的今天就是我們的明天」，這是舊的紀錄片裏經常出現一句話，真要是那樣的話可就糟糕了。不過確實應該借鑒，蘇聯為甚麼一下子就垮了？

毛在生前最關心的也是這一點，擔心他死之後國家會變了顏色，所以總是強調：「大家要提高警惕，階級鬥爭要年年講、月月講、天天講」，「不然的話，牛鬼蛇神們都會出來，少則幾年，多則幾十年中國就要改變顏色。」* 發動文革的目的就是要保證無產階級專政的巍然不動，這是他的「政績工程」。毛自己說，他這一輩子做了兩件事，一是打跑了蔣介石，一是發動了文化大革命。† 如果無產階級專政不存在了，等於把他一輩子的功勞抹殺了一半。所以他總怕鄧小平給文革翻案，於是，鄧小平就向他保證「永不翻案」。‡

中國有個「始皇帝」，秦始皇起這個名字，就是要以自己為起始，子孫萬代可以永遠傳下去。歷朝歷代的皇帝當然都想讓自己的事業永垂不朽，但實際上是不是真能做到，就要讓歷史來鑒定了。秦始皇不是傳到兒子就完了麼？希望怎樣，不一定真的就會怎樣。用一句套話來說：「歷史的發展是不以人的意志為轉移的。」

4. 唯物耶，唯心

任何一個概念，只能在特定的語境之下才有意義，脱離了語境就是無效的。比如，甚麼是唯物、甚麼是唯心？重要的是理解它的實質，而不在於掛哪個招牌。

* 大意如此，出自1963年5月9日，毛在《浙江省七個關於幹部參加勞動的好材料》的批語。參見《毛澤東年譜(1949–1976)》，第五卷，頁221。

† 參見逄先知、金沖及主編：《毛澤東傳(1949–1976)》(北京：中央文獻出版社，2003)，頁1781–1782。相關內容轉引自葉劍英在中共中央工作會議閉幕會上的談話記錄(1977.3.22)。

‡ 參見史實編：《文革中的檢討書》(香港：中國文革歷史出版社，2011)，頁98、102。

以前我們提的那個「超英趕美」的口號，要十五年超英、五十年趕美，然後加班加點、拼命夜戰。當然你也可以掛唯物的牌子，說「我們是唯物主義」，但實際上還是唯心的。再有，毛晚年最重要的一個哲學思想，那是林彪發揮的，說「思想決定一切」、「思想掛帥，一通百通」，但思想怎麼可以決定一切？所謂唯物，就是認為：物質是最根本的、第一位的，思想是跟着物質走的。當時宣揚說：「只要你思想正確了，甚麼人間奇跡都可以做得出來。」那不成如來佛了？你說是唯心，還是唯物？

再比如「左」、「右」的概念。一般都說「四人幫」是極左，可是黨中央主席華國鋒有一次公開講話，說：「甚麼極左，他們是右得不能再右了！」* 還有民主運動，解放前反國民黨的是左，到了解放後，反對共產黨的就變成右了。那麼，甚麼叫「左」，甚麼叫「右」？

實際上，隨着語境的變化，「左」、「右」的觀念都失去了它過去的意義。解放前，凡是激烈地要改變現狀、認同共產黨主張的，這是左。維護現有體制、擁護蔣介石現政權的，那是右。解放後，按我的理解，絕對平均主義，大家都吃一樣的、喝一樣的，同吃、同住、同勞動，這是極左。反過來，別人都窮

* 原文：「他們是極右派，是徹頭徹尾的走資派，是窮凶兇極惡的反革命派。什甚麼『左派』，甚甚麼『激進派』！他們的路線，右得不能再右了！」參見《人民日報》1977年12月28日頭版文章，華國鋒在第二次全國農業學大寨會議上的講話。

的不得了，你卻奢侈淫逸地生活，這可以算是極右。而且文革的時候，左、右用得太濫，也就失去了意義。

比如我家，以前就在北海附近，沒事兒到裏邊散散步，幾分鐘就走到了。可是文革的後期有一段時間，「四人幫」把北海、景山都給圈起來，普通人不許去，江青卻可以在裏邊跑馬。* 所以有一陣，頤和園天天人滿為患，擠的不得了。因為傳說頤和園也要被封起來，好多人趕緊來再看一眼。如果是在資本主義或者帝國主義國家，有沒有這個可能？比如英國的一個大款把溫莎堡給圈起來，或者法國的大款把凡爾賽宮圈起來，變成私人別墅，只許我一個人在裏邊跑馬，別人都不許進？這是不可能的。

帝國主義都不可能的事，卻在我們國家實現了。這到底是極左，還是極右？

解放前、後，關於民主的觀念也有很大不同。解

---

* 清亡之後，京城皇家園林相繼開放，北海、景山先後於1925、1928年被闢為公園。1971年2月末，兩園突然關閉，未作任何通告即被收為「官產」，直到1978年3月1日才重新開放。

江青景山「跑馬」說，有詩為證：「卻道枯樹跟前，有婦人焉，緩轡來走馬。」註釋：「傳公園關閉期間，江青曾來此騎馬作樂。」參見《念奴嬌．景山公園重新開放，有感》，《劉徵文集．第三卷．詩詞》(北京：人民教育出版社，2000)。又，柯雲路：《芙蓉國》(北京：中國文聯出版社，2008)，第八十九章，江青騎馬北海公園、讀史自比武則天。皆為旁證，僅供參考。

放前是資產階級的民主，它的前提有兩個：第一，少數服從多數，第二，多數必須尊重少數人的意見。而且第二條尤其之重要，即讓每個人都有充分發表意見的權利和自由，否則依然會變成強凌弱、眾暴寡的局面，陷入專政的泥淖。比如有一百個人，如果你得到五十一個人的支持，那麼你就能上臺。在這五十一人中，你只要得到二十六個人的支持，就又控制了多數。等於剝春筍一樣，剝下一層又一層，最後剩下兩個人，你只要能制服對方就可以控制全局。這還是獨裁。所以，尊重少數人意見這一條非常重要，這是我們解放前的理解。

但無產階級的民主觀念就不同了。我們是「人民民主專政」，一方面強調民主，但另一方面又在強調專政：對人民來說是民主，對敵人來說是要專政的。那麼，誰是人民、誰是敵人？按理說，應該先分清敵我。如果你是人民，那怎麼說都可以；如果你是敵人，就不許你說話。但我們的劃分標準是：你擁護我，你就是人民；不同意我的意見，你就是反動派。如果這要搞的話，誰還敢有不同意見？於是大家都不說真話，實際上還是少數人專多數人的政。

解放後，我慢慢理解了無產階級民主和資產階級民主的不同。可是我又想，怎能這麼劃分呢？怎麼能你是你的民主、我是我的民主呢？畢竟普遍性是第一位的，必須對民主有個共同的理解。然後，才能以這個唯一的標準為尺度，判斷古今中外哪些屬於民主，哪些屬於不民主。二戰時候，邱吉爾對民主提出幾個標準，其中一條就是「人民有反對政府的自由」。* 結果二戰還沒結束，就把邱吉爾反下臺了。當時，他正以首相身份參加波茨坦會議，會沒開完，國內選舉就把他選了下去，工黨領袖克萊門特·艾德禮接替了他。這件事很有趣，但也可以說，邱吉爾以他的下臺，實踐了民主的普遍性原則。

民主、自由等等的這些概念具有普世價值，永遠都是第一位的，絕不能有第二種解釋。至於特殊性，或者特色，那是第二位的，不能先於普遍性成為解釋的理由。就像「紅燈停，綠燈行」一樣，這是一個普遍的原則。如果你有你的解釋、我有我的解釋，那社會就亂套了。

再有一點，解放前、後對共產黨的理解確實不一樣。國民黨統治下沒有自由，也沒有民主，左派宣傳的都是爭自由、要民主，所以非常得人心。可是後來有一次在「席殊書屋」，我聽李銳講，解放後，毛澤東把他解放前凡是關於爭自由、要民主的文字都給刪掉了，所以現在的《毛選》都不談這些了。李銳是毛的秘書，我想他的話還是有根據的。我們現在雖然是

* 1944年8月，邱吉爾給意大利人民寫了一封短信，提出自由的幾條「非常簡單非常實際」的檢驗標準，其中第二條：「人民對政府不滿時有權把它趕下臺嗎？是否存在着人民可用來表達自己的意志的立法途徑？」參見《第二次世界大戰回憶錄》(北京：商務印書館，1975)，第六卷上部第一分冊，頁192–193。

「人民當家作主」，但實際上並沒有開放報禁，人民沒有知情權。

比如《參考消息》，那是1957年以後才公開發行的。另外還有一種叫「大參考」(新華社《參考資料》俗稱)，一天出兩本，僅供高級領導參考。像在我們歷史所，只有幾個黨委可以看，其他人對國內外的情況、對高層的真實意圖一點兒都不了解，這叫甚麼主人？

再比如，「大躍進」完了以後的那些年，財政部長在人民代表大會上作報告，裏面沒有預算數字、決算數字，也沒有收入、支出數字，說是要向帝國主義保密。* 但這同時也保了人民的密。好比我是一家之主，家裏有多少錢我不知道，怎麼花的不知道，那還叫甚麼「當家作主」？

再比如劉少奇。「少奇同志」是僅次於毛澤東的，1963或者1964年，還佈置大家學習他的《論共產黨員的修養》，我們也狠學了一陣，都是按正面材料來學習。可緊接着就是打倒劉少奇的資產階級司令部，這我們才明白：「哦，原來是要當反面材料學習的。」大家都領會錯了，結果白學了半天，都是資產階級司令部的宣傳內容。

---

* 據《人民日報》的報道，1953、54年，薄一波(財政部部長)、鄧小平(政務院副總理兼財政部部長)在中央人民政府委員會第二十三、三十一次會議上，1955至1960年，李先念(國務院副總理兼財政部部長)在第一、二屆人大的歷次會議上，都有關於國家決算、預算的報告。此後十八年間，不再公佈具體數據。直到1979年，張勁夫(財政部部長)在人大會議上的報告，才恢復了國家決算、預算數據公示全國的傳統。

可誰又能料到呢，還以為「紅修養」，誰知道那是「黑修養」？當初大家都以為，中央的最高領導像鐵板一樣團結，哪想得到裏邊有兩個司令部的鬥爭？而且，如果誰敢這麼想的話就成了反革命，那不成了分裂黨麼？等到1968年，突然又把他被定為「叛徒、內奸、工賊」，而且是全體一致通過，永遠開除出黨。* 這也很奇怪，如果他真這樣，為甚麼當初要讓他做國家主席？如果不了解他的歷史就讓他做國家元首，豈不成了開玩笑嗎？

還有我們的林副統帥，那是最典型的。

林彪一貫「紅旗舉得最高」、「跟得最緊」，是我們「最理想的接班人」。結果出事以後，說他「不讀書、不看報」，是個「大黨閥、大軍閥」，還「普天之下選美女」。如果真是這樣的話，當初為甚麼把他捧那麼高？

林彪是9月13日出的事，到了9月30日，《人民日報》還讓我們在「以毛主席為首、林副主席為副」的領導之下，繼續「將無產階級文化大革命進行到底」。人已經叛國死了十八天，還叫人民跟着他幹革命，這不是反動言論嗎？† 當然還有一種解釋，說：我

---

* 1968年10月底，八屆十二中全會批准了〈關於叛徒、內奸、工賊劉少奇罪行的審查報告〉，並「一致通過決議：把劉少奇永遠開除出黨，撤銷其黨內外的一切職務，並繼續清算劉少奇及其同夥叛黨叛國的罪行」。參見《人民日報》1968年11月2日頭版的會議公報。實際上，中央委員陳少敏沒有舉手，也是唯一的一個。

† 1971年9月13日林彪墜機身亡，《人民日報》未予報導，而對「林副主

們是為了穩定大局，對帝國主義要兵不厭詐。但「兵不厭詐」是針對敵人的，怎麼能「詐」自己的人民？《人民日報》的讀者是人民，重大事件不但不報道，還繼續粉飾，這不等於欺騙人民嗎？

孔老二說：「民無信不立。」總對人民說瞎話，不是增加人民的信仰，而是增加人民的懷疑。失去了人民的信任，政權還怎麼維持？人無完人，如果只看優點而看不到缺點，那就會自我陶醉，沒有進步了。一個國家也是這樣，居安思危，時時看到自己的不足，有憂患意識，才能正常發展。

5. 怪哉，史學界

在過去的歷史學界，我覺得有一個傾向非常不好，總是考證「甚麼甚麼東西，我們比西方早多少

席」、「林彪同志」的稱謂，一直沿用到10月1日，即林彪墜亡後的第十八天。此後近兩年，《人民日報》再無任何涉及林彪的內容。直到1973年8月30日頭版的《中國共產黨第十次全國代表大會新聞公報》，「憤怒聲討」了林彪反黨集團的罪行，稱其為「資產階級野心家、陰謀家、反革命兩面派、叛徒、賣國賊」，宣佈永遠開除其黨籍。兩天後，《人民日報》頭版全文刊登了周恩來的「十大」政治報告，第一次披露林彪墜亡。

但實際上，「九一三」事件五天後，經毛澤東批准，中央就發出了關於林彪叛國出逃的通知。「十天後，擴大傳達到地、師一級。10月6日，中央發出關於林彪集團罪行的通知。10月中旬，傳達擴大到地方黨支部書記一級。10月24日，中央的傳達已經擴大至全國基層群眾。」即，林彪墜機四十多天後，已經盡人皆知了。參見毛毛：《我的父親鄧小平：「文革歲月」》(北京：中央文獻出版社，2000)，頁206。

另，「將文化大革命進行到底」的口號，一直喊到「四人幫」倒臺後，華國鋒執政時仍然被沿用。

年」，於是得到一種心理上的滿足。難道我比你早多少年，就比你光榮了？打個比方，我的孫女上小學，有個題目她不會做來問我，於是我就宣稱：「六十年前我就會做了，我比你早六十年。」我歲數比她大，當然要比她知道的早，這有甚麼可吹噓的？同樣，我們的歷史比西方悠久得多，在一些方面比他們早多少年，這有甚麼可驕傲的？

如果這麼算的話，美國最丟臉了。哥倫布發現新大陸才五百年，美國立國不過兩百多年，甚麼東西都是別人的早。不要説英國、法國，就連印度都比它早得多，那它是不是在世界上就抬不起頭了呢？好漢不提當年勇，我們那完全是一種非常狹隘、虛驕的民族主義的感情疙瘩，或者叫阿Q心理，實在沒有必要宣揚。

從一百多年前戊戌變法以來，總有一種傾向，過分的強調中學、西學之爭。解放後，我以為早就把這個問題解決了，沒想到前些年又冒了出來。

我的看法有點不同，我以為，學問無所謂中西。馬克思是德國人，不能説馬克思的學問是「德學」。牛頓是英國人，不能説牛頓的體系是「英學」。法國在十八、十九世紀大大發展了牛頓的體系，不能説它是「法學」。馬克思、牛頓的學問都是「科學」，我們學的也是「科學」，而不是「德學」、「英學」等等。中學、西學之爭給我們帶來了思想認識上的混亂，以為仁義道德是中國的學問，聲光化電是西方的學問。這是沒有道理的，是毫無根據的偽學問。

學問有高低之分。中國古代的化學觀念是「金木水火土」五行，古希臘的觀點是「地水火氣」四行，古印度的觀點也是「地水火氣」。不能說這些就不是科學，只是當時的水平就只能認識到這一步。到了譚嗣同的時代，他的《仁學》上說：整個世界是由64種元素構成的。我作中學生的時候，還只知道92種，那麼今天已經發現106種元素了，* 這是進步。將來也許會發現更多，或者把原來的體系砸爛，不用元素概念而另外成立一個新體系，這不是不可能。

學問有真假之分。比如，我們歷史所有一個人練氣功，東北森林大火那一年，他說：「找個人一發功，那火就滅了。」還有一次我在上海開會，有個信氣功的女同志上去發言，說：「將來我們在北京一發功，美國五角大樓的人就都神經錯亂。」那都是偽科學，或者叫迷信。

學問有高低之分、精粗之分、真假之分，但沒有中西之分。不能說畢達哥拉斯定理是西學，中國不同樣也有商高定理？中國古代就有「週三徑一」的記載，凡做車輪子的人都知道，這是從經驗裏來的，不是徐光啟翻譯《幾何原本》之後才開始的。過去為了方便，我們把幾何學叫作「西學」，那是因為我們的幾何知識更多的只停留在了經驗層面，或者停留在了具體的知識點上，缺少系統化，缺少嚴謹的推論證

* 截至目前，總共發現118種元素。

明，不是近代意義上的科學。但並不是説，有這樣一門叫「幾何」的希臘學問是中國所不可能有的。

科學是知識，對人類是普遍的、一視同仁的。某一學問由於某些歷史條件首先出現在哪裏，並不意味着這個學問是它的專利。所以我認為，學問沒有中西之別，而只能説是先後之分，否則會給我們的實踐造成很大的傷害。

我們要搞科學、搞民主，這是全世界普遍的道路，具有普世價值。任何國家、任何民族都要走近代化的這條路，西方國家先行一步，其他民族也會跟上。但不能説，我們這些後來者走的就都是「西方的道路」，或者「資本主義的道路」。現代化和西化(即資本主義化)是兩回事，就好像我們去頤和園，我先這麼走了，接着你也這麼走。我們走的都是「去頤和園的道路」，不能説你走的就是「何某某的道路」。

自由與民主、社會福利、義務教育等等，這些都是現代化的內容，不管你是甚麼主義，都要向着這個方向發展。在近代化上，西方國家先行一步，我們要向它們學習。反過來，如果我們在某一方面領先了，它們也會向我們學習。這和資本主義道路、社會主義道路沒有關係，和中學、西學也沒有關係。

侯先生的《中國思想通史》一共五卷，分六冊。又有兩個縮寫本，一是《中國哲學史略》，一是《中國思想史綱》。文革前，《史綱》只完成了上冊，中國青年出版社出版，文革結束後才完成了下冊，現在由上海書店合編為一冊。封面上只印了八個人的名字，但其實我們組有十幾個人，為甚麼呢？因為那幾位在文革中被說成是「五一六」，不准他們參加。所以後來，他們就自己寫了一本《中國思想發展史》。按我的理解，這書的主要目的還是為了亮相，「我們也能寫書」、「不讓我們參加，我們就自己寫一本」。因為我和他們幾位的關係不錯，所以也拉我參加了編寫。

後來，外文出版社要把《史略》翻譯成英文，侯先生交給我看。我覺得那英譯本頗有問題，很多概念都給弄錯了，這和我們一貫迷信外語學院有關。其實，外文不能代替專業，不是說找幾個外語學院的人就完了。結果牛頭不對馬嘴，像把「功能主義」翻成了「功利主義」等等，所以就翻不下去了。

後來，外文出版社又要把《發展史》翻譯成英文，中途也打了退堂鼓，那幾位作者就慫恿我來翻。因為他們是五六十年代畢業的，外語普遍不行，而我是解放前的大學生，無論如何比他們要稍強一些。不過，他們寫的時候都是按照解放後的思路，甚麼都往階級性上靠。比如莊子，貼的標籤是「沒落的奴隸主階級」，這太糟糕了，比「資產階級」的罪過還利害。莊子是中國古代最傑出的思想家之一，有許多觀念是非常了不起的。比如「一尺之捶，日取其半，萬世不竭」，一尺長的棍子，每天砍下一半，永遠也取不完。這是一個極限問題，現在的高等數學也是從這裏開始的，和他的階級屬性沒有絲毫關係。

於是，我翻譯的時候就和他們幾位商量。大的思路改不了，但把「沒落的奴隸主階級」之類的標籤一一摘掉，比如換上「光輝的辯證法思想」等等。所以，最後給我的署名是"Revised and Translated by ..."(修訂並翻譯)。後來他們又說，乾脆你把這本書再翻譯成中文吧。我說算了，我可不想再費那勁了。

前幾年我在《讀書》上看到一篇文，談西方的漢學家，說：「你只要聽他那一嘴流利的中文，就知道他們漢語的功底有多麼深。」於是，我就給《讀書》寫了一封信糾正，後來也登了出來，意思是說：有些外國漢學家學問的確非常好，可是未必個個都能講多麼流利。我舉了三個例子，都是親身感受過的，一是當代英國漢學界的第一把手李約瑟。

我還作學生的時候，李約瑟就和牛津大學教希臘古典文學的Dodds教授作為英國學術界的代表到中國來，我在學校聽過他的幾次講演。時隔多年，他到歷史所又講過兩次，所長侯外廬先生請他到家裏作客時，我也在場。可是，從來就沒聽他說過一個中國字，永遠都帶一個翻譯。一直到他八十六歲最後一次到中國來，社科院院長胡繩請他吃飯，因為我參加了他的《中國科學技術史》的翻譯，也在被邀請之列。可他那次一句話也沒說，連英文也沒說，低着頭吃了些東西就走了，結果就只是我們幾個中國人在那兒聊天。

第二個例子是費正清。那是鼎鼎大名的人物了，可以算是當代美國漢學界的祖師爺，曾在中國住了很多年，他的夫人費慰梅做過美國駐中國大使館的文化參贊。一次在哈佛大學，一個美國人一定要拉我去見他。本來我以為他的中文一定很流利，所以一見面就用中文。沒想到他的中文說得結結巴巴，而且到了後來簡直詞不達意，不知道在說些甚麼東西。於是我就改說英文，雖然我的英文也不行，不過我覺得，和他說英文要比說中文省力得多。

第三位是美國的狄百瑞（William Theodore de Bary）教授。他是哥倫比亞大學的副校長，比我大兩三歲，曾經出任東亞語言文學系主任，也是當今美國漢學界的泰斗了，專門研究宋明理學。我在哥倫比亞大學待過一年，見過他很多次，偶爾他在言談中夾帶一兩個日本的專名詞，可是從來沒聽他說過一句中文。他到中國來開過好幾次會，都是帶個翻譯。所以我想，他的中文也不會說得太好。

這些都是我親自感受過的，所以不必那麼望文生義，想當然的以為這些漢學家能夠說多麼多麼流利的中文。我承認這些人的漢學基礎非常好，確實學有專長，可是他們沒有說中文的環境，也沒必要講中文。再比如，北京大學西語系英國文學教授錢學熙先生，也是不能說英語的。一個高級賓館的boy可以說很流利的英語，但他並不懂英國文學。

老清華回「娘家」

八十年代以來，清華逐漸恢復文科，說是要「繼承老清華的優良傳統」。可是解放以後，清華變成了工科院校，老清華「文、法、理、工」四個學院中仨都沒有了，老清華的人要麼年紀大了幹不動，要麼重要的人物來不了。比如錢鍾書，當時他是社會科學院副院長，不可能回來。那時候我也六十多歲的人了，他們說「歡迎老清華回來」，我也願意。記得有一次碰上哲學所的王玖興，我說：「我要調動工作了，到清華去。」他說：「不能去，不能去。清華現在是工科學校，我們搞文科的去了是『少數民族』，要受種族歧視的。」我說：「我倒沒想過被重視，所以也不在乎。」

1986年，我正式搬進來，算是回「娘家」。

清華文科斷了三十多年，要想真正恢復「老清華」是比較難的。比如岳麓書院，建於宋朝，後來中斷過好幾次，不可能像牛津、劍橋那樣七百年一直保持傳統。「思想文化研究所」成立於1985年，是清華恢復文科的第一步，把文學、史學、哲學都放在一起。所裏起初不足十個人，除我以外，幾乎都是解放後畢業的青年。和我那一輩人不同，他們接受的都是無產階級思想的教育，而從前的熟人都已不在了。

第一任所長是張岱年先生。不過具體事情他不管，只偶爾來一次，所裏需要名人做招牌，也是一種「名人效應」了。最開頭，我每年都教一門思想史方面的課，開始是上大課，後來上小課。1991年我七十歲整，正式離休，以後基本不再承擔上課任務，除了偶爾被拉去講一課，打打補丁。現如今，文學系、歷史系、經濟系等等都各自獨立出來，看上去內容也滿充實。我們合併到了歷史系，「思想文化研究所」的牌子還在，但似乎沒有必要掛了。

這些年我倒也沒歇着，陸陸續續幹了點事情。對於新的理論，大部分我不懂。不過我以為，人生只有一度。好比運動員一樣，也許有的運動壽命長一點，有的短一點，但也只有一度，天天打破世界紀錄是不可能的。每個時代在風口浪尖上領風騷的只能是一段時間，屬於我們的時代已經過去了，該由年輕的人繼續領跑。

一個學校的發展很難說，在有些條件下可以很快。比如舊清華，原來是留美預備學校，改大學以後，不到十年就上去了。梅貽琦本人雖然沒有甚麼學術貢獻，但他把學校辦好了，這就是他的學術貢獻。蔡元培也一樣，把北大辦好了就是他的貢獻。所以真正要搞的話，可以很快，就看你如何去搞了。

當然清華現在也有自己的問題，比如學術腐敗。蔣介石時期也有腐敗，但那是官場腐敗，學術並不腐敗。我們現在講的是「領導一切」，所以腐敗一旦起來，往往也是「腐敗到了一切」。包括學術界，各個行業、各個部門無孔不入，都有腐敗。

再比如我們的學術體制，似乎並沒有按學術的規律辦事，而是按政治領導的思想辦事，這是不科學的。舊社會的時候，清華校長梅貽琦、北大校長蔣夢麟、南開校長張伯苓、中央大學校長羅家倫，他們都不是院士，可現在那些名校的校長起碼都是院士。我們的院士體制也一樣，不說百分之百，但絕大部分都是做官的。其實，選官和選院士應該是兩套標準，怎麼會那麼恰巧，有學問的都當官，當官的剛好都有學問？運動員也一樣，下運動場憑的是實力，並不是跑得快的就做官，做官也並不需要你一定跑得快，這是兩回事。但我們還是官本位的思想，官僚體制勢必影響了學術的正常發展。

不過我認為，這更是一個全國的問題。舊社會，大學有比較強的獨立性，各個學校可以不同。但我們現在是「一元化」了，大家都一樣。如果整體出了問題，任何一個個人，或者一個單位、一個學校都不可能徹底改變。

包括我在所裏工作的時候，有那麼一段時期，每一兩月請個名人來座談。開頭我還挺有興趣的，去請了好幾個人。像近代史所的丁守和、自然科學史院士席澤宗，還有爭論很多的何新，都是我到家裏請他們來的。當然，我不一定非得同意他的意見。不過我覺得，既然要講學術，他也是一家之言，無論你同意不同意，至少應該聽一聽。不能搞「唯我獨尊」，那就等於自我封閉了。不過，直接負責這件事的副所長似乎並不熱心。有一次我請李澤厚，不批准，簡直連蔡元培的水平都達不到。後來，我和所裏七八個青年請李澤厚在飯館吃飯，大家約好提前兩個小時來，以個人約請的形式做了交流。若干年後和李談起此事，他也心知肚明。

清華先天的條件好，後天的條件……就要看人為了。

從前的老清華出來多少人才，老清華的教師是第一流的，學生是第一流的。但是現在，總的來說還不能算是第一流的。而且，清華不可能獨立於全國之外，只能等待大氣候，所以還得慢慢來。

解放後，在思想領域一共有四次比較大的運動。說是思想解放也好，說是資產階級思想氾濫也可以，當然反過來，也可以說是思想專制或思想奴役。一次是1956到57年的「百花齊放」、「百家爭鳴」，繼之以「反右」和「大躍進」。第二次是1976年周恩來逝世，清明天安門事件，動用了武力鎮壓。第三次是1978年的民主運動，「西單民主牆」搞得非常熱鬧。再一次就是1989年的天安門事件。除了第一次，後三次都是自下而上的運動。

古今中外，任何社會都不會是絕對的光明。這就好像一個人，任何人都不能説自己是絕對的健康，總要定期檢查，防止大的疾病。但因為我們的領導是「絕對的領導」，缺乏的正是自下而上揭發社會黑暗面的機制。平日裏積蓄了太多的問題，積重難返，一旦有個機會爆發出來就不可收拾。「六四」運動是一個繞不過去的話題，即便現在不談，今後還是要談。

零敲碎打*

學習馬克思主義，究竟有多少人是真誠的，多少人是虛假的？

我在北圖上班時，所有人每天都得學一個小時。有個老頭，姓趙，談個人體會的時候就說：「馬列主義非學不可，你在馬列胡同裏頭混飯吃，不學馬列主義怎麼行？」大家說他講得太庸俗了，後來就批判他。其實，「混飯吃」是舊社會非常通行的說法，見了面常問：「您在哪混飯吃啊？」請人家介紹工作的時候，也說：「請您賞碗飯吃。」

工作可不就是為了謀食？沒飯吃，你餓死了，那也不用考慮別的了。所以我覺得，雖然那位老先生的說法帶有很多舊社會的痕跡，不過也是一句大實話，沒甚麼丟臉的。不必嘲笑他，也用不着苛責。

解放後，有的人曾經感嘆「今不如昔」。凡是說這話的，1957年都成了右派，僅我知道的就有好幾

* 有些零零碎碎的內容，雖不成文，丟掉又覺可惜。特此堆在一起，強名之曰「零敲碎打」。

位。師大附中一位教數學的教師叫韓滿廬，* 因為説當年的師大附中多麼好，現在不如從前了，被打成右派。

我有一個同學叫王景鶴，† 當時在北京四中教數學。我到他那裏一看，發現他們用的教材都是范氏代數的簡編，感到很奇怪。因為解放前，我們在中學裏學的都是范氏代數，怎麼解放後反而學起「簡編」了呢？他説：「現在是新民主主義社會了，新民主主義社會就是資本主義社會的『簡編』。」當然他是開玩笑，要是有人把他揭發了，這話恐怕也有問題。

解放後有一句話，叫：「老子天下第六！」因為前面還有馬恩列斯毛，這些人是不能超過的。有的人就自高自大，把自己排在後面，以「天下第六」自居，想想也挺可笑。

那時候提倡「走群眾路線」，其實也很虛假。因為我們並不知道這個人究竟怎麼回事，不過就是聽臺上的一面之詞，而且根本沒有法律程序，所以也頂不認真、頂不鄭重的。

---

* 韓滿廬(1898–1975)：名桂叢，北京師大附中首批特級教師，北師大數學系兼職教授。1924年，與傅種孫合譯《幾何原理》，將德國天才數學家希爾伯特的代表作引入中國。另有《韓譯范氏高等代數學》、《高中平面三角法》(合譯)等，皆為經典譯本教材。

† 王景鶴(1919–1997)：畢業於西南聯大物理系，與何老、王浩、汪曾祺皆為摯友。曾在臺灣建國中學教書，1949年返回大陸，任教於北京四中，肅反運動中被審查。隨後調入北京二十六中(原北平私立匯文中學)，1956年調入新成立的北京師範學院(今首都師範大學)數學系，至退休。

比如文革初期，我參加過好幾次群眾大會，往往有一個「節目」，由群眾給罪犯審判。臺上宣佈說某某人甚麼罪狀，貪污了多少，或者強姦婦女，問大家的意見怎麼樣。底下人照例一哄，說：「槍斃——」於是這個人就定為槍斃。而且他的家屬還上去，說：「不要槍斃他。這顆子彈我們應該留着，用在更需要的地方，我要用刀親自把他砍死！」至今回想起來，這些場面依然心驚肉跳。

首都師大有一位老先生，比我還高兩班，物理系的，叫孫念台。*文革一開頭的時候就批鬥他，說：「你唸甚麼不行，偏得唸『台』?!」可是給他起名字的時候，哪會想到這問題？結果他就因為這個名字遭了殃。

文革期間，馮友蘭也挨了鬥。馮先生喜歡留鬍子，鬥他的時候動不動就揪他的鬍子，他受不了，所以後來全給刮了。

1967年調人組班子，準備寫一部《江青傳》，歌頌我們「文化大革命的英勇旗手」，歷史所也派了兩個人去。但他們不知道，江青的傳是不能寫的，跑到

* 孫念台(1919–1999)：清末內閣學士、軍機大臣孫毓汶曾孫，首都師範大學物理系教授、系主任。其父孫照為北京六中語文老師，弟弟孫念增任教於清華大學數學系，妹妹孫念坤為畫家，畢業於輔仁大學美術系。文革期間，家中所藏古代書畫等珍貴文物悉數被抄。1982年，兄妹三人將返還的文物捐贈中國歷史博物館(今中國國家博物館)。

上海找材料，多是她個人的那些緋聞。這類東西屬於「賣點」，小報喜歡登，但怎麼能寫在傳記裏裏？其實，這幫人的本意是要拍江青的馬屁，但馬屁沒拍對，拍在了馬腿上。江青知道了這件事很生氣，一腳把他們都踢到監獄裏裏，關了好幾年。包括在文革中，上海有幾次大規模抄家，都是為了銷毀這類黑材料。

文革時候還有一個提法：「公家的事，再小也是大事。個人的事，再大也是小事。」我有一個外甥女，那是我妹妹的女兒，在黑龍江插隊。一天晚上着火了，她們宿舍三個女孩去救火，兩個燒死了。她重傷，現在臉上都不正常。有時我就想，難道道德應該這樣的嗎？

記得一次報道裏說，草棚失火，一群小學生去救，結果燒死三個。那真太可惜了。孔子有一段小故事，馬棚燒火了，孔子先問人，不問馬。畢竟人比馬更重要，用今天的話說是「以人為本」。《斯大林全集》裏也有一段，有一次漲河水，把木頭都沖走了，很多人下河去撈，結果人也被沖走了。斯大林說，這是對人的一種「奇特的態度」。* 畢竟人的生命比木頭更重要，怎麼能用這種態度來對人？我們那時候卻是「以物為本」，或者「以集體為本」、「以國家為本」。可是，草燒了就燒了，何必搭上三個小孩的性命？

---

* 未及核查，致歉讀者。

再比如，北大、清華下的幹校都在江西，那裏正流行血吸蟲。有一次我跟一個清華的人說：「你們不該去這種地方，甚麼地方有流行病都應該避開，這是常識。」他說：「毛澤東思想宣傳隊跟我們說了，毛澤東思想武裝的人還怕那小小的血吸蟲嗎？」

這簡直是連常識都不要了。

關到牛棚的人很多，關進去就不能讓你們安生，不但加強很多的勞動，而且每個星期都要寫思想彙報，總得寫個兩三千字才能交差。可哪有那麼多的「活思想」可彙報？再者，如果寫錯一句，被人抓住又是猛批一陣。所以我就抄《人民日報》的社論，最後再加一句：「我的思想沒有改造好，還要繼續努力。」然後交上去。我知道很多人都這麼幹，我相信工宣隊的那些人也不看——那麼多「牛鬼蛇神」交的都是千篇一律的彙報，要一篇篇看得有多頭疼。

文革初期的時候，紅衛兵「破四舊」，砸文物、破壞古建築非常厲害。記得那時候我去天壇，看到一片瓦礫荒涼，非常痛心，就私下裏和人聊天，表示了些不滿。沒想到被揭發，說：「別人都說文化大革命好得很，只有你認為文化大革命糟得很。」於是，「糟得很」就成了我的反革命罪狀之一。

1971年秋末，我探親回北京，正是林彪事件不久。那時候我愛人剛退休，孩子上山下鄉去了海南島，所以家裏就我們倆人。反正待着也無事可做，就商量着去杭州玩一次。她說：「現在是最緊張的時候，會不會麻煩？」我說沒問題，所以就去了。可是到杭州一看，革委會的大字報貼到了古建築上，要求大家都來保衛文物，「嚴防反革命分子破壞！」真是出乎我的意料。

看來風水又轉了，革命的標準也「早晚行情不同」。那麼，「破四舊」究竟是好得很呢，還是糟得很？

1976年，我們在摩托車廠勞動。和工人聊天時知道，廠裏的設備太落後了，都是三十年前、二戰剛結束時候蘇聯的老廠裏淘汰的。我說為甚麼不更新，他們搖搖頭，說：「我們廠有兩千人，設備更新的話，連一千人都用不了，剩下那一千人怎麼辦？」當時全國都面臨同樣的問題。

《毛選》裏有一段話說得對，他說：「現在生活困難，實在不夠，大家有飯勻着吃，房子擠着住。」* 解放初期的確是這樣，三個人的飯五個人吃，雖然每個人的待遇都非常低，卻基本消滅了失業。但是，將社會問題轉嫁到工廠企業，代價就是進步非常慢。生產方法落後，只能老牛破車的將就，養了很多閒人，終歸不是解決的辦法。

---

* 原文：「十分困難時，飯勻着吃，房子擠着住。」參見《唯心歷史觀的破產》(1949)，《毛澤東選集》(北京：人民出版社，1990)，第四卷，頁1449。

1976年10月，我們組下到西安去，和工廠合作寫書。那時候離唐山大地震不久，而且毛剛剛去世。忽然有一天，謠言說是要有十二級的毀滅性地震！市民驚惶失措，整個西安城一下子就癱瘓了，街上到處都是推着行李的小車。當時我就想，這麼點事情就搞得人心惶惶，真要是打起仗來怎麼辦？在一定程度上，這也是對政治信仰不堅定的反映，否則人心不會浮動。

我還記得，離住處很近的地方有個飯鋪，牌子上寫着：早晨十點營業。因為怕人多，第二天我早早就去了。結果一開門就是空的，我說：「不是十點鐘開門嗎？」售貨員說：「是啊，都賣光了。」要想吃，得十點以前來排隊，一開門就搶光了，而且天天如此。這就是文革十年後的情景。

中國「官本位」挺有意思的。文革結束以後，我們又有一次去西安，那次是去開會，回來的時候繞道洛陽、鄭州參觀。沒想到鄭州挺亂的，下了火車找不到旅館。我們組的秘書靈機一動，打電話給河南省文化局，說：「我們是中國科學院院長郭沫若派來的，現在找不到地方住，請幫助解決一下。」他是編個瞎話唬人家，沒想到省文化廳廳長、教育廳廳長都來了，一切問題都解決了。

看來，「院長」的牌子還是有用的。

1989年，我們研究所有個學生畢業留校。本來是要作助教的，但他參加了「六四」學運，而且6月5日還在開會。那時候，學潮已經定性為反革命運動，他們開會就成了「開黑會」，學校就把他開除了。有一天我碰見他，問打算怎麼辦。他倒是滿不在乎，說：「沒關係，開除我，我就先到廣東去發財！」

這一點我覺得透露了一個信息，就是說，現在的年輕人不再在乎政治上的身份，至少他們還可以到其他地方混口飯吃。如果在過去，這樣的人大概就發配到北大荒勞改了。而且不去不行，北京沒你的戶口、沒你的糧票，飯都吃不上，從物質上就把你控制了，非聽話不可。後來我們在政策上放鬆了，人不再是屬於單位的，自由度相對比較大。不管他到廣東是不是發得了財，至少這也是一條路。

包遵信* 也是我們組的，做過《讀書》副主編，這個人也口無遮攔。有一陣學習雷鋒，他公開就說：「學這幹嘛？這個是愚民政策。」後來他搞了民運，給抓到監獄裏關了好幾年，現在已經去世了。

世界上有兩件事情沒法預言，一是股票市場的波動。比如非常之好的行情，忽然間就走低了。或者非

* 包遵信(1937–2007)：中國社會科學院歷史所副研究員，曾任「走向未來叢書」主編、顧問，這套書被公認為八十年代知識界最有影響力的一批思想啟蒙讀物。著有《跬步集》、《批判與啟蒙》等書，曾兼任《中國哲學》主編、《讀書》副主編，曾任「文化哲學叢書」副主編。「八九民運」中，知識界的召集人之一。

常之蕭條，忽然間又猛竄了，這都是意料不到的。再一個就是政治的行情，那真是沒法估計。當年法西斯德國進攻蘇聯的時候，幾百萬精幹的軍隊都沒有把它打垮。可是葉利欽上臺，一夜之間蘇聯就變了顏色，打都沒有打。以前我們總說：「沒有和平過渡，只能用武裝舉行暴力革命。」* 可是蘇聯的例子擺在那，至少説明和平過渡是可能的。

有一次我去見謝國楨先生，我說：「您看上去還很好啊。」他說：「不行了不行了。我的兄弟、朋友大都不在了，同輩的人也都走了，只剩下我一個，心裏邊難過。」現在，我也有了同樣的感受。與我同輩的人大部分都不在了，包括我的親友，我的同事、同學，以及比較熟的人，幾乎都去世了，只剩我一個……

我不是一個建功立業的人，一生滿足於旁觀者的角色，不過是浮生中一個匆匆的過客。這就像演戲一樣，何必人人都上臺表演，做個觀眾不也很好？正如《浮士德》中燈塔守望者一邊唱一邊說的兩句話："To see I was born, to look is my call." (我的一生就是來觀看的。)

如果能夠做一個純粹的觀者，能夠在思想裏找到安慰，我以為，就足夠了。

---

* 二十世紀五六十年代，中蘇交惡。在意識形態問題上發生嚴重分歧，史稱「十年論戰」，最終造成社會主義陣營的分裂。其中，是否能夠「和平過渡」是最重要的分歧之一。